하루 10분 서술형/문장제 학습지

수학

독해

B3 곱셈구구
초2~초3

Creative to Math
씨투엠

수학독해 : 수학을 스스로 읽고 해결하다

객관식이나 간단한 단답형 문제는 자신 있는데 긴 문장이나 풀이 과정을 쓰라는 문제는 어려워하는 아이들이 있어요. 빠르고 정확하게 연산하고 교과 응용문제까지도 곧잘 풀어내지만, 문제 속 상황이 약간만 복잡해지면 문제를 풀려고도 하지 않는 아이들도 많아요. 이러한 아이들에게 부족한 것은 연산 능력이나 문제 해결력보다는 독해력과 표현력입니다. 특히 수학적 텍스트를 이해하고 표현하는 능력, 즉 수학 독해력이지요.

요즘 아이들의 독해력이 약해진 가장 큰 이유는 과거에 비해 이야기를 만나는 방식이 다양해졌기 때문이에요. 예전에는 대부분 말이나 글로써만 이야기를 접했어요. 텍스트 위주로 여러 가지 사건을 간접 체험하고, 머릿 속으로 상황을 그려내는 훈련이 자연스럽게 이루어졌지요. 반면 요즘 아이들은 글보다도 TV나 스마트폰 등 영상매체에 훨씬 빨리, 자주 노출되기에 글을 통해 상상을 할 필요가 점점 없어지게 되었습니다.

그렇다고 아이들에게 어렸을 때부터 영화나 애니메이션을 못 보게 하고 책만 읽게 하는 것은 바람직하지 않고, 가능하지도 않아요. 시각 매체는 그 자체로 많은 장점이 있기 때문에 지금의 아이들은 예전 세대에 비해 이미지에 대한 이해력과 적용력이 매우 뛰어나답니다. 문제는 아직까지 모든 학습과 평가 방식이 여전히 텍스트 위주이기 때문에 지금도 아이들에게 독해력이 중요하다는 점이에요. 그래서 저희는 영상 매체에는 익숙하지만 말이나 글에는 약한 아이들을 위한 새로운 수학 독해력 향상 프로그램인 씨투엠 수학독해를 기획하게 되었어요.

씨투엠 수학독해는 기존 문장제/서술형 교재들보다 더욱 쉽고 간단한 학습법을 보여주려 해요. 문제에 있는 문장과 표현 하나하나마다 따로 접근하여 아이들이 어려워하는 포인트를 찾고, 각 포인트마다 직관적인 활동을 통해 독해력과 표현력을 차근차근 끌어올리려고 합니다. 또한 문제 이해와 풀이 서술 과정을 단계별로 세세하게 나누어 문장제, 서술형 문제를 부담 없이 체계적으로 연습할 수 있어요. 새로운 문장제 학습법인 씨투엠 수학독해가 문장제 문제에 특히 어려움을 겪고 있거나 앞으로 서술형 문제를 좀 더 잘 대비하고 싶은 아이들에게 큰 도움이 될 것이라 자신합니다.

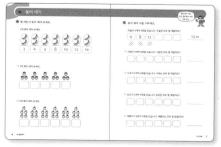

수학독해의 구성과 특징

· 매일 부담없이 2쪽씩, 하루 10분 문장제 학습
· 매주 5일간 단계별 활동, 6일차는 중요 문장제 확인학습
· 5회분의 진단평가로 테스트 및 복습

주차별 구성

일일학습
꼬마 수학자들의
간단한 팁과 함께
매일 새롭게 만나는
단계별 문장제 활동

확인학습
중요 문장제 활동을
다시 한번 확인하며
주차 학습 마무리

1주차	1일	2일	3일	4일	5일	확인학습
	6쪽 ~ 7쪽	8쪽 ~ 9쪽	10쪽 ~ 11쪽	12쪽 ~ 13쪽	14쪽 ~ 15쪽	16쪽 ~ 18쪽

2주차	1일	2일	3일	4일	5일	확인학습
	20쪽 ~ 21쪽	22쪽 ~ 23쪽	24쪽 ~ 25쪽	26쪽 ~ 27쪽	28쪽 ~ 29쪽	30쪽 ~ 32쪽

3주차	1일	2일	3일	4일	5일	확인학습
	34쪽 ~ 35쪽	36쪽 ~ 37쪽	38쪽 ~ 39쪽	40쪽 ~ 41쪽	42쪽 ~ 43쪽	44쪽 ~ 46쪽

4주차	1일	2일	3일	4일	5일	확인학습
	48쪽 ~ 49쪽	50쪽 ~ 51쪽	52쪽 ~ 53쪽	54쪽 ~ 55쪽	56쪽 ~ 57쪽	58쪽 ~ 60쪽

진단평가 구성

진단평가
4주 간의 문장제 학습에서 부족한 부분을
확인하고 복습하기 위한 자가 진단 테스트

진단평가	1회	2회	3회	4회	5회
	62쪽 ~ 63쪽	64쪽 ~ 65쪽	66쪽 ~ 67쪽	68쪽 ~ 69쪽	70쪽 ~ 71쪽

이 책의 차례

1 주차	몇 배	5
2 주차	곱셈구구	19
3 주차	어떤 수 곱셈식	33
4 주차	곱셈구구 활용	47
진단평가		61

1주차

몇 배

1일 묶어 세기 ·············· 06

2일 여러 번 더하기 ·············· 08

3일 몇의 몇 배 ·············· 10

4일 곱셈식으로 나타내기 ·············· 12

5일 몇 묶음? 몇 배? ·············· 14

확인학습 ·············· 16

✿ 몇 개인지 묶어 세어 보세요.

2씩 묶어 세어 보세요.

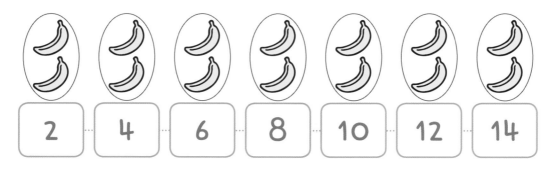

① 3씩 묶어 세어 보세요.

② 5씩 묶어 세어 보세요.

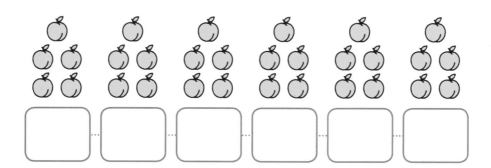

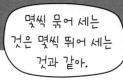

몇씩 묶어 세는 것은 몇씩 뛰어 세는 것과 같아.

❀ 묶어 세어 수를 구하세요.

구슬이 4개씩 3묶음 있습니다. 구슬은 모두 몇 개일까요?

| 4 | 8 | 12 | | | |

12개

① 사탕이 3개씩 6묶음 있습니다. 사탕은 모두 몇 개일까요?

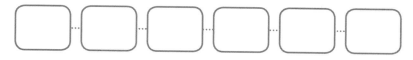

② 사과가 5개씩 4묶음 있습니다. 사과는 모두 몇 개일까요?

③ 당근이 2개씩 5묶음 있습니다. 당근은 모두 몇 개일까요?

④ 색종이가 6장씩 4묶음 있습니다. 색종이는 모두 몇 장일까요?

여러 번 더하는 식으로 나타내고 계산해 보세요.

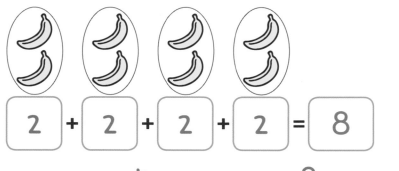

$$2 + 2 + 2 + 2 = 8$$

바나나는 2개씩 ___4___ 묶음이므로 _____8_____ 개입니다.

①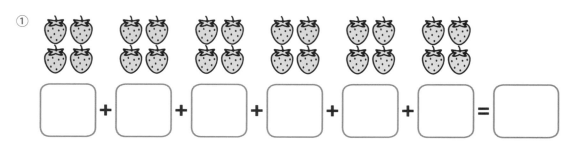

$$\boxed{} + \boxed{} + \boxed{} + \boxed{} + \boxed{} + \boxed{} = \boxed{}$$

딸기는 4개씩 _____ 묶음이므로 _____ 개입니다.

②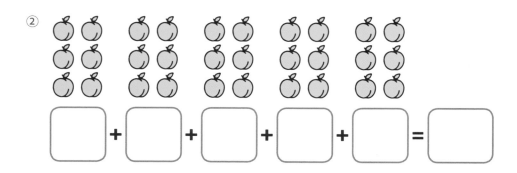

$$\boxed{} + \boxed{} + \boxed{} + \boxed{} + \boxed{} = \boxed{}$$

복숭아는 6개씩 _____ 묶음이므로 _____ 개입니다.

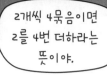
2개씩 4묶음이면 2를 4번 더하라는 뜻이야.

🎨 여러 번 더하는 식으로 나타내어 수를 구하세요.

양파가 5개씩 3묶음 있습니다. 양파는 모두 몇 개일까요?

식 : $5+5+5=15$ 답 : 15개

① 수박이 3통씩 6묶음 있습니다. 수박은 모두 몇 통일까요?

식 :   답 :

② 주사위가 6개씩 4묶음 있습니다. 주사위는 모두 몇 개일까요?

식 :   답 :

③ 사탕이 7개씩 2묶음 있습니다. 사탕은 모두 몇 개일까요?

식 :   답 :

④ 동화책이 4권씩 5묶음 있습니다. 동화책은 모두 몇 권일까요?

식 :   답 :

🐝 밑줄 친 곳에 알맞은 수를 써넣으세요.

$5 + 5 + 5 + 5 = 20$

___5___ 씩 ___4___ 묶음은 ___20___ 입니다.

___5___ 의 ___4___ 배는 ___20___ 입니다.

①

_____ 씩 _____ 묶음은 _____ 입니다.

_____ 의 _____ 배는 _____ 입니다.

②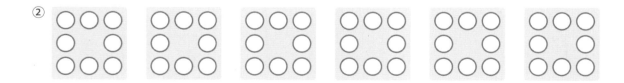

_____ 씩 _____ 묶음은 _____ 입니다.

_____ 의 _____ 배는 _____ 입니다.

원래 수를 몇 번 더한 만큼인 것을 '몇 배'라고 해.

🐝 여러 번 더하는 식으로 나타내어 수를 구하세요.

동화책이 7권 있고, 시집의 수는 동화책의 수의 3배입니다. 시집은 몇 권일까요?

식 : <u>　7+7+7=21　</u>　　　답 : <u>　21권　</u>

7의 3배는 7씩 3묶음과 같아.

① 소가 2마리 있고, 돼지의 수는 소의 수의 4배입니다. 돼지는 몇 마리일까요?

식 : _____　　답 : _____

② 사탕이 6개 있고, 초콜릿의 수는 사탕의 수의 6배입니다. 초콜릿은 몇 개일까요?

식 : _____　　답 : _____

③ 버스가 9대 있고, 트럭의 수는 버스의 수의 2배입니다. 트럭은 몇 대일까요?

식 : _____　　답 : _____

④ 사과가 4개 있고, 딸기의 수는 사과의 수의 5배입니다. 딸기는 몇 개일까요?

식 : _____　　답 : _____

🐞 밑줄 친 곳에 알맞은 수를 써넣고, 곱셈식으로 나타내어 보세요.

_____6_____ 씩 _____5_____ 묶음

_____6_____ 의 _____5_____ 배

➡️

$$6 \times 5 = 30$$

6 + 6 + 6 + 6 + 6 = 30

①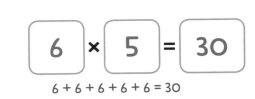

_____ 씩 _____ 묶음

_____ 의 _____ 배

➡️ ☐ × ☐ = ☐

②

_____ 씩 _____ 묶음

_____ 의 _____ 배

➡️ ☐ × ☐ = ☐

여러 번 더하는 식을 곱셈식으로 간단하게 나타낼 수 있어.

🎨 곱셈식으로 나타내어 수를 구하세요.

우유가 3병씩 4묶음 있습니다. 우유는 모두 몇 병일까요?

식 : __3×4=12__　　　답 : __12병__

3 + 3 + 3 + 3 = 12

① 구슬이 8개씩 3묶음 있습니다. 구슬은 모두 몇 개일까요?

식 : _____　　　답 : _____

② 책이 9권 있고, 공책의 수는 책의 수의 6배입니다. 공책은 몇 권일까요?

식 : _____　　　답 : _____

③ 해바라기가 5송이씩 2묶음 있습니다. 해바라기는 모두 몇 송이일까요?

식 : _____　　　답 : _____

④ 볼펜이 2자루 있고, 연필의 수는 볼펜의 수의 5배입니다. 연필은 몇 자루일까요?

식 : _____　　　답 : _____

✿ 그림을 보고 □ 안에 알맞은 수를 써넣으세요.

 3씩 7묶음

$$3 \times 7 = 21$$

 7씩 3묶음

$$7 \times 3 = 21$$

①

$$5 \times \boxed{} = 30$$

$$6 \times \boxed{} = 30$$

②

$$4 \times \boxed{} = 32$$

$$8 \times \boxed{} = 32$$

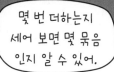

✿ □가 있는 곱셈식을 쓰고 답을 구하세요.

딸기 18개는 6개씩 몇 묶음일까요?

식 : <u>6×□=18</u>   답 : <u>3묶음</u>

6 + 6 + 6 = 18 ➔ 6 × 3 = 18

① 색연필 24자루는 4자루씩 몇 묶음일까요?

식 : _____   답 : _____

② 참외가 2개, 자두가 14개 있습니다. 자두의 수는 참외의 수의 몇 배일까요?

식 : _____   답 : _____

③ 공책 27권은 9권씩 몇 묶음일까요?

식 : _____   답 : _____

④ 버스가 8대, 트럭이 40대 있습니다. 트럭의 수는 버스의 수의 몇 배일까요?

식 : _____   답 : _____

✏️ 묶어 세어 수를 구하세요.

① 초콜릿이 5개씩 3묶음 있습니다. 초콜릿은 모두 몇 개일까요?

☐ ┈ ☐ ┈ ☐ ┈ ☐ ┈ ☐ ┈ ☐   _____

② 연필이 6자루씩 5묶음 있습니다. 연필은 모두 몇 자루일까요?

☐ ☐ ☐ ☐ ☐ ┈ ☐   _____

✏️ 여러 번 더하는 식으로 나타내어 수를 구하세요.

③ 피자가 2판씩 3묶음 있습니다. 피자는 모두 몇 판일까요?

식 : _____   답 : _____

④ 스티커가 9장씩 5묶음 있습니다. 스티커는 모두 몇 장일까요?

식 : _____   답 : _____

✏️ 여러 번 더하는 식으로 나타내어 수를 구하세요.

⑤ 양파가 5개 있고, 당근의 수는 양파의 수의 2배입니다. 당근은 몇 개일까요?

식 : _____ 답 : _____

⑥ 남자가 8명 있고, 여자의 수는 남자의 수의 4배입니다. 여자는 몇 명일까요?

식 : _____ 답 : _____

✏️ 곱셈식으로 나타내어 수를 구하세요.

⑦ 음료수가 6캔씩 7묶음 있습니다. 음료수는 몇 캔일까요?

식 : _____ 답 : _____

⑧ 가위가 5개 있고, 딱풀의 수는 가위의 수의 5배입니다. 딱풀은 몇 개일까요?

식 : _____ 답 : _____

✏️ □가 있는 곱셈식을 쓰고 답을 구하세요.

⑨ 초콜릿이 3개, 사탕이 21개 있습니다. 사탕의 수는 초콜릿의 수의 몇 배일까요?

식 : _____ 답 : _____

⑩ 오징어 35마리는 7마리씩 몇 묶음일까요?

식 : _____ 답 : _____

⑪ 주사위 42개는 6개씩 몇 묶음일까요?

식 : _____ 답 : _____

⑫ 여자가 2명, 남자가 4명 있습니다. 남자의 수는 여자의 수의 몇 배일까요?

식 : _____ 답 : _____

⑬ 장미 20송이는 5송이씩 몇 묶음일까요?

식 : _____ 답 : _____

2주차

곱셈구구

1일 곱셈구구표 ················· 20

2일 2의 단, 4의 단, 8의 단 ················· 22

3일 3의 단, 6의 단, 9의 단 ················· 24

4일 5의 단, 7의 단 ················· 26

5일 곱셈구구 종합 ················· 28

확인학습 ················· 30

✿ 곱셈구구표의 빈 곳을 알맞게 채워 보세요.

×	1	2	3	4	5	6	7	8	9
1	1	2	3	4	5	6	7	8	9
2	2	4	6	8	10	12	(14)	16	18
3	3	6	9	12	15	18	21		27
4	4	8		16	20	24	28	32	36
5	5	10	15	20	25		35	40	45
6	6		18	24	30	36	42	48	
7	7	14	21	28		42	49	56	63
8	8	16	24		40	48		64	
9		18	27	36	45	54	63	72	81

✿ 알맞은 식을 완성하고 답을 구하세요.

2 곱하기 7은 얼마와 같을까요?

식 : $\boxed{2}$ × $\boxed{7}$ = $\boxed{14}$ 답 : ___14___

① 3과 3의 곱은 얼마일까요?

식 : $\boxed{}$ × $\boxed{}$ = $\boxed{}$ 답 : _____

② 4 곱하기 9는 얼마와 같을까요?

식 : $\boxed{}$ × $\boxed{}$ = $\boxed{}$ 답 : _____

③ 5와 8의 곱은 얼마일까요?

식 : $\boxed{}$ × $\boxed{}$ = $\boxed{}$ 답 : _____

④ 6 곱하기 5는 얼마와 같을까요?

식 : $\boxed{}$ × $\boxed{}$ = $\boxed{}$ 답 : _____

🎨 알맞은 식을 완성하고 답을 구하세요.

2의 5배는 얼마일까요?

식 : $\boxed{2} \times \boxed{5} = \boxed{10}$ 답 : __10__

이일은 이, 이이는 사, 이삼은 육, 이사 팔, 이오 십

① 4의 5배는 얼마일까요?

식 : $\boxed{} \times \boxed{} = \boxed{}$ 답 : _____

② 2씩 7묶음은 얼마일까요?

식 : $\boxed{} \times \boxed{} = \boxed{}$ 답 : _____

③ 4씩 7묶음은 얼마일까요?

식 : $\boxed{} \times \boxed{} = \boxed{}$ 답 : _____

④ 8씩 7묶음은 얼마일까요?

식 : $\boxed{} \times \boxed{} = \boxed{}$ 답 : _____

2, 4, 6, 8의 단의 곱은 항상 짝수가 되지. 왜 그럴까?

🎨 알맞은 식을 쓰고 답을 구하세요.

막대 하나의 길이는 4 cm입니다. 막대 6개의 길이는 몇 cm일까요?

식 : __4×6=24__   답 : __24 cm__

사일은 사, 사이 팔, 사삼 십이, 사사 십육, 사오 이십, 사육 이십사

① 안경 한 개에는 안경알이 2개 있습니다. 안경 4개에는 안경알이 모두 몇 개일까요?

식 : _____   답 : _____

② 거미의 다리는 8개입니다. 거미 8마리의 다리는 모두 몇 개일까요?

식 : _____   답 : _____

③ 연필이 한 통에 4자루씩 들어 있습니다. 9통에 들어 있는 연필은 모두 몇 자루일까요?

식 : _____   답 : _____

④ 꽃병에 장미가 8송이씩 꽂혀 있습니다. 꽃병 3개에 꽂혀 있는 장미는 모두 몇 송이일까요?

식 : _____   답 : _____

🐝 알맞은 식을 완성하고 답을 구하세요.

3씩 2묶음은 얼마일까요?

식 : $\boxed{3}$ × $\boxed{2}$ = $\boxed{6}$ 답 : ___6___

삼일은 삼, 삼이 육

① 6씩 2묶음은 얼마일까요?

식 : $\boxed{}$ × $\boxed{}$ = $\boxed{}$ 답 : _____

② 3의 6배는 얼마일까요?

식 : $\boxed{}$ × $\boxed{}$ = $\boxed{}$ 답 : _____

③ 6의 6배는 얼마일까요?

식 : $\boxed{}$ × $\boxed{}$ = $\boxed{}$ 답 : _____

④ 9의 6배는 얼마일까요?

식 : $\boxed{}$ × $\boxed{}$ = $\boxed{}$ 답 : _____

6의 단, 9의 단의 곱의 일부는 3의 단과 곱이 같은 수야.

🐝 알맞은 식을 쓰고 답을 구하세요.

호준이는 수학 문제를 매일 9문제씩 풀었습니다. 호준이가 5일 동안 푼 수학 문제는 몇 문제일까요?

식 : __9×5=45__   답 : __45문제__

구일은 구, 구이 십팔, 구삼 이십칠, 구사 삼십육, 구오 사십오

① 삼각형의 변의 수는 3개입니다. 삼각형 4개의 변의 수는 모두 몇 개일까요?

식 : _____   답 : _____

② 주사위에는 6개의 면이 있습니다. 주사위 7개의 면은 모두 몇 개일까요?

식 : _____   답 : _____

③ 야구는 한 팀에 9명씩 경기를 합니다. 야구팀 8개에서 경기를 하는 선수는 모두 몇 명일까요?

식 : _____   답 : _____

④ 아영이는 매일 3번씩 밥을 먹습니다. 3일 동안 아영이는 밥을 몇 번 먹을까요?

식 : _____   답 : _____

🎨 알맞은 식을 완성하고 답을 구하세요.

5의 3배는 얼마일까요?

식 : $\boxed{5}$ × $\boxed{3}$ = $\boxed{15}$ 답 : _____15_____

오일은 오, 오이 십, 오삼 십오

① 5의 4배는 얼마일까요?

식 : $\boxed{}$ × $\boxed{}$ = $\boxed{}$ 답 : _____

② 5의 5배는 얼마일까요?

식 : $\boxed{}$ × $\boxed{}$ = $\boxed{}$ 답 : _____

③ 7씩 5묶음은 얼마일까요?

식 : $\boxed{}$ × $\boxed{}$ = $\boxed{}$ 답 : _____

④ 7씩 6묶음은 얼마일까요?

식 : $\boxed{}$ × $\boxed{}$ = $\boxed{}$ 답 : _____

🎨 알맞은 식을 쓰고 답을 구하세요.

일주일은 7일입니다. 4주일은 며칠일까요?

식 : __7×4=28__   답 : __28일__

칠일은 칠, 칠이 십사, 칠삼 이십일, 칠사 이십팔

① 색연필이 한 통에 7자루씩 들어 있습니다. 2통에 들어 있는 색연필은 모두 몇 자루일까요?

식 : _____   답 : _____

② 장갑 한 짝의 손가락은 5개입니다. 장갑 2짝의 손가락은 모두 몇 개일까요?

식 : _____   답 : _____

③ 코스모스 한 송이에 꽃잎이 5장씩 있습니다. 코스모스 8송이에 있는 꽃잎은 모두 몇 장일까요?

식 : _____   답 : _____

④ 공이 7개씩 들어 있는 자루가 7자루 있습니다. 공은 모두 몇 개일까요?

식 : _____   답 : _____

✿ 알맞은 식을 쓰고 답을 구하세요.

금화가 한 자루에 9개씩 들어 있습니다. 4자루에 들어 있는 금화는 모두 몇 개일까요?

식 : __9×4=36__　　　답 : __36개__

구일은 구, 구이 십팔, 구삼 이십칠, 구사 삼십육

① 거북이의 다리는 4개입니다. 거북이 6마리의 다리는 모두 몇 개일까요?

식 : _____　　　답 : _____

② 태웅이가 하루에 동화책을 6쪽씩 읽었습니다. 8일 동안 태웅이가 읽은 동화책은 몇 쪽일까요?

식 : _____　　　답 : _____

③ 2반 학생들이 3명씩 한 모둠으로 환경지킴이 활동을 했습니다. 5모둠에 있는 학생들은 모두 몇 명일까요?

식 : _____　　　답 : _____

④ 꼬치 한 줄에 방울토마토 8개를 꽂았습니다. 꼬치 9줄에 꽂힌 방울토마토는 모두 몇 개일까요?

식 : _____　　　답 : _____

⑤ 식탁 위에 젓가락 4매가 있습니다. 젓가락은 모두 몇 개일까요?

식 : _____ 답 : _____

⑥ 잠자리의 날개는 4개입니다. 잠자리 8마리의 날개는 모두 몇 개일까요?

식 : _____ 답 : _____

⑦ 꽃병에 국화가 9송이씩 꽂혀 있습니다. 꽃병 6개에 꽂혀 있는 국화는 모두 몇 송이일까요?

식 : _____ 답 : _____

⑧ 초이는 포도를 하루에 5알씩 먹습니다. 초이가 5일 동안 먹는 포도는 모두 몇 알일까요?

식 : _____ 답 : _____

⑨ 주사위에는 6개의 면이 있습니다. 주사위 6개에 있는 면은 모두 몇 개일까요?

식 : _____ 답 : _____

✏️ 알맞은 식을 완성하고 답을 구하세요.

① 1과 8의 곱은 얼마일까요?

식 : ☐ ✕ ☐ = ☐   답 : _____

② 8 곱하기 7은 얼마와 같을까요?

식 : ☐ ✕ ☐ = ☐   답 : _____

✏️ 알맞은 식을 쓰고 답을 구하세요.

③ 한 통의 무게가 4 kg인 멜론 7통의 무게는 몇 kg일까요?

식 : _____   답 : _____

④ 양파가 한 망에 8개씩 들어 있습니다. 6망에 들어 있는 양파는 모두 몇 개일까요?

식 : _____   답 : _____

✏️ 알맞은 식을 쓰고 답을 구하세요.

⑤ 잠자리의 다리는 6개입니다. 잠자리 4마리의 다리는 모두 몇 개일까요?

식 : _____   답 : _____

⑥ 자전거 가게에 세발자전거가 6대 있습니다. 세발자전거의 바퀴는 모두 몇 개일까요?

식 : _____   답 : _____

✏️ 알맞은 식을 쓰고 답을 구하세요.

⑦ 일주일은 7일입니다. 8주일은 며칠일까요?

식 : _____   답 : _____

⑧ 오리 1마리가 알을 5개씩 낳았습니다. 오리 7마리가 낳은 알은 모두 몇 개일까요?

식 : _____   답 : _____

✏️ 알맞은 식을 쓰고 답을 구하세요.

⑨ 한 사람이 손가락에 반지를 5개씩 꼈습니다. 8명이 손가락에 낀 반지는 모두 몇 개
일까요?

식 : _____   답 : _____

⑩ 볼펜이 한 묶음에 7자루씩 있습니다. 볼펜 7묶음은 몇 자루일까요?

식 : _____   답 : _____

⑪ 문어의 다리는 8개입니다. 문어 5마리의 다리는 모두 몇 개일까요?

식 : _____   답 : _____

⑫ 하루에 3번 이를 닦아야 합니다. 이틀 동안 이를 몇 번 닦아야 할까요?

식 : _____   답 : _____

⑬ 치킨 한 마리에 닭다리가 2개씩 있습니다. 치킨 9마리에 있는 닭다리는 모두 몇 개
일까요?

식 : _____   답 : _____

3주차

어떤 수 곱셈식

1일 몇 곱하기 어떤 수 ·························· 34

2일 어떤 수 곱하기 몇 ·························· 36

3일 네모가 있는 곱셈(1) ·························· 38

4일 네모가 있는 곱셈(2) ·························· 40

5일 잘못된 계산 ·························· 42

확인학습 ·························· 44

몇 곱하기 어떤 수

✿ 식의 빈칸과 밑줄 친 곳에 알맞은 수를 써넣으세요.

| 6 | × | 5 | = | 30 |

육삼 십팔, 육사 이십사, 육오 삼십

6에 __5__ 를 곱하였더니 30이 되었습니다.

① | 3 | × | | = | 21 |

3에 _____ 을 곱하였더니 21이 되었습니다.

② | 9 | × | | = | 9 |

9에 _____ 을 곱하였더니 9가 되었습니다.

③ | 2 | × | | = | 16 |

2에 _____ 을 곱하였더니 16이 되었습니다.

곱셈식의 첫 번째 수의 단을 외워서 어떤 수를 찾아봐.

❀ □가 있는 식을 쓰고 어떤 수를 구하세요.

8에 어떤 수를 곱하였더니 32가 되었습니다. 어떤 수는 얼마일까요?

식 : $8 \times \square = 32$ 답 : 4

팔이 십육, 팔삼 이십사, 팔사 삼십이

① 7에 어떤 수를 곱하였더니 49가 되었습니다. 어떤 수는 얼마일까요?

식 : _____   답 : _____

② 2에 어떤 수를 곱하였더니 6이 되었습니다. 어떤 수는 얼마일까요?

식 : _____   답 : _____

③ 5에 어떤 수를 곱하였더니 45가 되었습니다. 어떤 수는 얼마일까요?

식 : _____   답 : _____

④ 4에 어떤 수를 곱하였더니 20이 되었습니다. 어떤 수는 얼마일까요?

식 : _____   답 : _____

🎨 식의 빈칸과 밑줄 친 곳에 알맞은 수를 써넣으세요.

$$\boxed{4} \times \boxed{7} = \boxed{28}$$

→ $7 \times \square = 28$
칠이 십사, 칠삼 이십일, 칠사 이십팔

__4__ 에 7을 곱하였더니 28이 되었습니다.

① $$\boxed{} \times \boxed{4} = \boxed{8}$$

_____ 에 4를 곱하였더니 8이 되었습니다.

② $$\boxed{} \times \boxed{6} = \boxed{42}$$

_____ 에 6을 곱하였더니 42가 되었습니다.

③ $$\boxed{} \times \boxed{3} = \boxed{15}$$

_____ 에 3을 곱하였더니 15가 되었습니다.

4 × 7, 7 × 4와 같이 계산 순서를 바꾸어도 곱은 같아.

🍪 □가 있는 식을 쓰고 어떤 수를 구하세요.

어떤 수에 3을 곱하였더니 15가 되었습니다. 어떤 수는 얼마일까요?

식 : __□×3=15__   답 : __5__
→ 3 × □ = 15
삼삼은 구, 삼사 십이, 삼오 십오

① 어떤 수에 5를 곱하였더니 20이 되었습니다. 어떤 수는 얼마일까요?

식 : _____   답 : _____

② 어떤 수에 1을 곱하였더니 8이 되었습니다. 어떤 수는 얼마일까요?

식 : _____   답 : _____

③ 어떤 수에 2를 곱하였더니 10이 되었습니다. 어떤 수는 얼마일까요?

식 : _____   답 : _____

④ 어떤 수에 9를 곱하였더니 54가 되었습니다. 어떤 수는 얼마일까요?

식 : _____   답 : _____

네모가 있는 곱셈(1)

🐝 □가 있는 식을 쓰고 답을 구하세요.

개구리 한 마리의 다리는 4개입니다. 개구리의 다리가 모두 16개라면 개구리는 몇 마리일까요?

식 : __4×□=16__   답 : __4마리__

사이 팔, 사삼 십이, 사사 십육

① 영주는 하루에 달리기를 2번씩 합니다. 영주가 달리기를 12번 했다면 달리기를 며칠 동안 했을까요?

식 : _____   답 : _____

② 사과를 한 봉지에 6개씩 넣으려고 합니다. 사과가 12개 있다면 몇 봉지가 필요할까요?

식 : _____   답 : _____

③ 탁자 한 개에 의자가 9개씩 놓여 있습니다. 의자가 모두 45개라면 탁자는 몇 개일까요?

식 : _____   답 : _____

④ 놀이 기구에 어린이를 한 번에 5명씩 태우려고 합니다. 어린이 40명이 타려면 놀이 기구를 몇 번 움직여야 할까요?

식 : _____   답 : _____

⑤ 우창이는 소설책을 매일 7쪽씩 읽으려고 합니다. 35쪽짜리 소설책을 다 읽으려면 며칠이 걸릴까요?

식 : _____ 답 : _____

⑥ 농장에 있는 소의 다리 수는 모두 32개입니다. 소는 몇 마리일까요?

식 : _____ 답 : _____

⑦ 달팽이가 1분에 5 cm씩 움직여서 20 cm를 움직였습니다. 달팽이는 몇 분 동안 움직였을까요?

식 : _____ 답 : _____

⑧ 강당에 아이들이 한 줄에 8명씩 56명 서 있습니다. 아이들은 몇 줄 서 있을까요?

식 : _____ 답 : _____

⑨ 놀이터에 있는 세발자전거의 바퀴 수는 모두 27개입니다. 세발자전거는 몇 대 있을까요?

식 : _____ 답 : _____

□가 있는 식을 쓰고 답을 구하세요.

쌓기나무를 한 층에 같은 개수로 5층을 쌓았습니다. 쌓기나무가 30개일 때 한 층에 있는 쌓기나무는 몇 개일까요?

식 : $\square \times 5 = 30$ 답 : 6개

오사 이십, 오오 이십오, 오육 삼십

① 똑같은 다각형 6개의 꼭짓점 수는 모두 24개입니다. 이 다각형은 무엇일까요?

식 : _____   답 : _____

② 두준이는 매일 같은 수의 수학 문제를 3일 동안 풀어서 모두 9문제를 풀었습니다. 두준이는 하루에 몇 문제씩 풀었을까요?

식 : _____   답 : _____

③ 고등어 40마리를 8봉지에 똑같이 나누어 담았습니다. 한 봉지에 몇 마리씩 나누어 담았을까요?

식 : _____   답 : _____

④ 버스 2대에 18명이 똑같이 나누어 탔습니다. 한 버스에 몇 명씩 탔을까요?

식 : _____   답 : _____

⑤ 딱정벌레 9마리의 다리는 모두 54개입니다. 딱정벌레 한 마리의 다리는 몇 개일까요?

식 : _____ 답 : _____

⑥ 양말 6켤레는 12짝입니다. 양말 한 켤레는 몇 짝일까요?

식 : _____ 답 : _____

⑦ 우진이는 매일 스티커를 몇 장씩 모으려고 합니다. 일주일 동안 스티커 56장을 모으려면 하루에 몇 장씩 모아야 할까요?

식 : _____ 답 : _____

⑧ 4주는 28일입니다. 일주일은 며칠일까요?

식 : _____ 답 : _____

⑨ 주사위 5개의 면의 수는 모두 30개입니다. 주사위 한 개에 있는 면은 몇 개일까요?

식 : _____ 답 : _____

🌸 잘못된 계산을 보고 올바르게 계산한 값을 구하세요.

어떤 수에 8을 곱해야 할 것을 잘못하여 6을 곱했더니 36이 되었습니다. 올바르게 계산한 값은 얼마일까요?

식 ① : ___ □×6=36 ___ 어떤 수 : ___ 6 ___

식 ② : 육육 삼십육
6×8=48 답 : ___ 48 ___

① 어떤 수에 7을 곱해야 할 것을 잘못하여 3을 곱했더니 15가 되었습니다. 올바르게 계산한 값은 얼마일까요?

식 ① : _____ 어떤 수 : _____

식 ② : _____ 답 : _____

② 어떤 수에 4를 곱해야 할 것을 잘못하여 8을 곱했더니 40이 되었습니다. 올바르게 계산한 값은 얼마일까요?

식 ① : _____ 어떤 수 : _____

식 ② : _____ 답 : _____

③ 어떤 수에 5를 곱해야 할 것을 잘못하여 더했더니 12가 되었습니다. 올바르게 계산한 값은 얼마일까요?

식 ① : _____   어떤 수 : _____

식 ② : _____   답 : _____

④ 어떤 수에 3을 곱해야 할 것을 잘못하여 9를 곱했더니 81이 되었습니다. 올바르게 계산한 값은 얼마일까요?

식 ① : _____   어떤 수 : _____

식 ② : _____   답 : _____

⑤ 어떤 수에 9를 곱해야 할 것을 잘못하여 더했더니 13이 되었습니다. 올바르게 계산한 값은 얼마일까요?

식 ① : _____   어떤 수 : _____

식 ② : _____   답 : _____

✎ □가 있는 식을 쓰고 어떤 수를 구하세요.

① 6에 어떤 수를 곱하였더니 42가 되었습니다. 어떤 수는 얼마일까요?

식 : _____ 답 : _____

② 어떤 수에 7을 곱하였더니 56이 되었습니다. 어떤 수는 얼마일까요?

식 : _____ 답 : _____

③ 어떤 수에 2를 곱하였더니 18이 되었습니다. 어떤 수는 얼마일까요?

식 : _____ 답 : _____

④ 9에 어떤 수를 곱하였더니 72가 되었습니다. 어떤 수는 얼마일까요?

식 : _____ 답 : _____

⑤ 어떤 수에 3을 곱하였더니 21이 되었습니다. 어떤 수는 얼마일까요?

식 : _____ 답 : _____

✎ □가 있는 식을 쓰고 답을 구하세요.

⑥ 바나나가 한 송이에 6개씩 모두 18개 있습니다. 바나나는 몇 송이 있을까요?

식 : _____   답 : _____

⑦ 장갑 2짝에 손가락이 10개 있습니다. 장갑 한 짝에는 손가락이 몇 개 있을까요?

식 : _____   답 : _____

⑧ 앵무새를 새장에 2마리씩 넣으려고 합니다. 앵무새 14마리를 넣으려면 새장은 몇 개가 필요할까요?

식 : _____   답 : _____

⑨ 똑같은 다각형 4개의 변의 수는 모두 12개입니다. 이 다각형은 무엇일까요?

식 : _____   답 : _____

⑩ 일주일은 7일입니다. 56일은 몇 주일까요?

식 : _____   답 : _____

✏️ 잘못된 계산을 보고 올바르게 계산한 값을 구하세요.

⑪ 어떤 수에 2를 곱해야 할 것을 잘못하여 3을 곱했더니 9가 되었습니다. 올바르게 계산한 값은 얼마일까요?

식 ① : _____　어떤 수 : _____

식 ② : _____　답 : _____

⑫ 어떤 수에 7을 곱해야 할 것을 잘못하여 더했더니 10이 되었습니다. 올바르게 계산한 값은 얼마일까요?

식 ① : _____　어떤 수 : _____

식 ② : _____　답 : _____

⑬ 어떤 수에 6을 곱해야 할 것을 잘못하여 9를 곱했더니 45가 되었습니다. 올바르게 계산한 값은 얼마일까요?

식 ① : _____　어떤 수 : _____

식 ② : _____　답 : _____

4주차

곱셈구구 활용

1일   곱과 합 ·············· 48

2일   곱과 차(1) ·········· 50

3일   곱과 차(2) ·········· 52

4일   두 곱의 합 ·········· 54

5일   세 곱의 합 ·········· 56

확인학습 ·············· 58

✿ 알맞은 곱셈식과 덧셈식을 쓰고 답을 구하세요.

3의 4배보다 5 큰 수는 얼마일까요?

식 ① : 3×4=12　　　3의 4배 : 12

식 ② : 12+5=17　　　답 : 17

① 7씩 3묶음에 6을 더하면 얼마일까요?

식 ① : _____　　　7씩 3묶음 : _____

식 ② : _____　　　답 : _____

② 5의 6배에 3을 더하면 얼마일까요?

식 ① : _____　　　5의 6배 : _____

식 ② : _____　　　답 : _____

③ 8씩 2묶음보다 1 큰 수는 얼마일까요?

식 ① : _____　　　8씩 2묶음 : _____

식 ② : _____　　　답 : _____

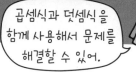

곱셈식과 덧셈식을 함께 사용해서 문제를 해결할 수 있어.

✿ 알맞은 식을 쓰고 답을 구하세요.

송이는 8살입니다. 엄마는 송이 나이의 5배보다 2살 더 많습니다. 엄마는 몇 살일까요?

식 ① : ___8×5=40___ → 송이 나이의 5배 : 40

식 ② : ___40+2=42___   답 : ___42살___

① 사탕을 한 사람에게 4개씩 7명에게 나누어 주었더니 3개가 남았습니다. 원래 있던 사탕은 몇 개였을까요?

식 ① : _____

식 ② : _____   답 : _____

② 학생들을 한 줄에 9명씩 3줄로 세웠더니 8명이 남았습니다. 학생은 모두 몇 명일까요?

식 ① : _____

식 ② : _____   답 : _____

③ 볼펜은 3자루 있고, 연필은 볼펜 수의 4배보다 2개 더 많습니다. 연필은 몇 자루 있을까요?

식 ① : _____

식 ② : _____   답 : _____

🎨 알맞은 곱셈식과 뺄셈식을 쓰고 답을 구하세요.

5의 2배에서 3을 빼면 얼마일까요?

식 ① : $5 \times 2 = 10$ 5의 2배 : 10

식 ② : $10 - 3 = 7$ 답 : 7

① 4씩 7묶음보다 2 작은 수는 얼마일까요?

식 ① : _____   4씩 7묶음 : _____

식 ② : _____   답 : _____

② 5씩 5묶음에서 6을 빼면 얼마일까요?

식 ① : _____   5씩 5묶음 : _____

식 ② : _____   답 : _____

③ 6의 9배보다 5 작은 수는 얼마일까요?

식 ① : _____   6의 9배 : _____

식 ② : _____   답 : _____

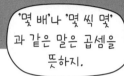

말풍선: '몇 배'나 '몇 씩 몇'과 같은 말은 곱셈을 뜻하지.

🎨 알맞은 식을 쓰고 답을 구하세요.

종이학을 한 사람에게 4마리씩 8명에게 나누어 주려고 하니 3마리가 모자랐습니다. 종이학은 모두 몇 마리일까요?

식 ① : $4 \times 8 = 32$ → 4마리씩 8명 : 32

식 ② : $32 - 3 = 29$ 답 : 29마리

① 수영장에 남자가 6명 있고, 여자는 남자의 수의 5배보다 5명 더 적게 있습니다. 수영장에 있는 여자는 몇 명일까요?

식 ① : _____

식 ② : _____   답 : _____

② 초콜릿이 19개 있습니다. 초콜릿을 한 사람에게 3개씩 7명에게 나누어 주려면 초콜릿 몇 개가 더 필요할까요?

식 ① : _____

식 ② : _____   답 : _____

③ 복숭아를 한 봉지에 7개씩 9봉지에 담으려고 하니 2개가 모자랐습니다. 복숭아는 모두 몇 개일까요?

식 ① : _____

식 ② : _____   답 : _____

🐝 알맞은 곱셈식과 뺄셈식을 쓰고 답을 구하세요.

45에서 6의 7배를 빼면 얼마일까요?

식 ① : $6 \times 7 = 42$　　6의 7배 : 42

식 ② : $45 - 42 = 3$　　답 : 3

① 20에서 2씩 9묶음을 빼면 얼마일까요?

식 ① : _____　　2씩 9묶음 : _____

식 ② : _____　　답 : _____

② 69에서 8의 8배를 빼면 얼마일까요?

식 ① : _____　　8의 8배 : _____

식 ② : _____　　답 : _____

③ 53에서 6씩 8묶음을 빼면 얼마일까요?

식 ① : _____　　6씩 8묶음 : _____

식 ② : _____　　답 : _____

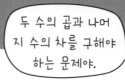

두 수의 곱과 나머지 수의 차를 구해야 하는 문제야.

🐝 알맞은 식을 쓰고 답을 구하세요.

지우개 25개를 친구 3명에게 6개씩 나누어 주었습니다. 남은 지우개는 몇 개일까요?

식 ① : $3 \times 6 = 18$ → 3명에게 6개씩 : 18

식 ② : $25 - 18 = 7$ 답 : 7개

① 바둑돌 65개를 한 줄에 9개씩 7줄로 놓았습니다. 남은 바둑돌은 몇 개일까요?

식 ① : _____

식 ② : _____   답 : _____

② 학생 52명을 보트 한 대에 8명씩 6대에 태우려고 합니다. 보트에 타지 못하는 학생은 몇 명일까요?

식 ① : _____

식 ② : _____   답 : _____

③ 묘목 19그루를 한 줄에 2그루씩 8줄로 심었습니다. 남은 묘목은 몇 그루일까요?

식 ① : _____

식 ② : _____   답 : _____

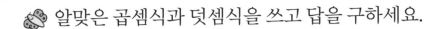

4일 두 곱의 합

🎨 알맞은 곱셈식과 덧셈식을 쓰고 답을 구하세요.

8의 3배에 7의 8배를 더하면 얼마일까요?

식 ① : __8×3=24__   8의 3배 : __24__

식 ② : __7×8=56__   7의 8배 : __56__

식 ③ : __24+56=80__   답 : __80__
(8의 3배) + (7의 8배)

① 6의 2배와 5의 3배의 합은 얼마일까요?

식 ① : _____   6의 2배 : _____

식 ② : _____   5의 3배 : _____

식 ③ : _____   답 : _____

② 1씩 9묶음과 4씩 8묶음의 합은 얼마일까요?

식 ① : _____   1씩 9묶음 : _____

식 ② : _____   4씩 8묶음 : _____

식 ③ : _____   답 : _____

곱셈식 2개로 곱을 구한 후, 두 곱의 합을 계산해.

🎨 알맞은 식을 쓰고 답을 구하세요.

복숭아는 한 봉지에 5개씩, 자두는 한 봉지에 8개씩 팔고 있습니다. 복숭아 3봉지와 자두 4봉지에 들어 있는 과일은 모두 몇 개일까요?

식 ① : _____5×3=15_____ → 복숭아의 수 : 15

식 ② : _____8×4=32_____ → 자두의 수 : 32

식 ③ : ___15+32=47___   답 : ___47개___
　　　　(복숭아의 수) + (자두의 수)

① 농장에 돼지 4마리와 닭 7마리가 있습니다. 돼지와 닭의 다리의 수는 모두 몇 개일까요?

식 ① : _____

식 ② : _____

식 ③ : _____   답 : _____

② 흰 바둑돌은 6개씩 3줄, 검은 바둑돌은 4개씩 5줄로 놓았습니다. 바둑돌은 모두 몇 개일까요?

식 ① : _____

식 ② : _____

식 ③ : _____   답 : _____

🌸 알맞은 식을 쓰고 답을 구하세요.

수영 경기에서 1등은 3점, 2등은 2점, 3등은 1점을 얻습니다. 3반에는 1등이 5명, 2등이 3명, 3등이 8명 있습니다. 3반의 수영 점수는 모두 몇 점일까요?

식 ① : $3 \times 5 = 15$ → 1등 점수 : 15

식 ② : $2 \times 3 = 6$ → 2등 점수 : 6

식 ③ : $1 \times 8 = 8$ → 3등 점수 : 8

식 ④ : $15 + 6 + 8 = 29$ 답 : 29점

① 주안이는 수학 테스트에서 한 문제에 5점짜리 문제를 8개, 3점짜리 문제를 7개, 2점짜리 문제를 5개 맞혔습니다. 주안이의 수학 테스트 점수는 몇 점일까요?

식 ① : _____

식 ② : _____

식 ③ : _____

식 ④ : _____ 답 : _____

② 사막에 까마귀가 7마리, 낙타가 2마리, 거미가 3마리 있습니다. 세 동물의 다리의 수는 모두 몇 개일까요?

식 ① : _____

식 ② : _____

식 ③ : _____

식 ④ : _____   답 : _____

③ 특급 곶감은 한 통에 4개, 상급 곶감은 한 통에 6개, 고급 곶감은 한 통에 9개 들어 있습니다. 특급 곶감 4통, 상급 곶감 1통, 고급 곶감 2통에 들어 있는 곶감은 모두 몇 개일까요?

식 ① : _____

식 ② : _____

식 ③ : _____

식 ④ : _____   답 : _____

✎ 알맞은 식을 쓰고 답을 구하세요.

① 단추를 8개씩 9줄로 늘어놓으려고 하니 4개가 모자랐습니다. 단추는 모두 몇 개일까요?

식 ① : _____

식 ② : _____   답 : _____

② 개미의 다리는 6개입니다. 지네의 다리는 개미 다리 수의 8배보다 4개 더 많습니다. 지네의 다리는 몇 개일까요?

식 ① : _____

식 ② : _____   답 : _____

③ 장미꽃이 13송이 있습니다. 장미꽃을 3명에게 5송이씩 나누어 주려면 장미꽃 몇 송이가 더 필요할까요?

식 ① : _____

식 ② : _____   답 : _____

④ 물고기 27마리를 한 어항에 7마리씩 어항 3개에 나누어 넣었습니다. 어항에 들어가지 못한 물고기는 몇 마리일까요?

식 ① : _____

식 ② : _____   답 : _____

✎ 알맞은 식을 쓰고 답을 구하세요.

⑤ 동물원에 코뿔소 8마리와 두루미 3마리가 있습니다. 코뿔소와 두루미의 다리의
수는 모두 몇 개일까요?

식 ① : _____

식 ② : _____

식 ③ : _____   답 : _____

⑥ 농구공은 한 상자에 6개, 배구공은 한 상자에 8개 들어 있습니다. 농구공 2상자,
배구공 3상자에 들어 있는 공은 모두 몇 개일까요?

식 ① : _____

식 ② : _____

식 ③ : _____   답 : _____

⑦ 빨강 색종이가 5장씩 7묶음, 파랑 색종이가 9장씩 4묶음 있습니다. 색종이는 모두
몇 장일까요?

식 ① : _____

식 ② : _____

식 ③ : _____   답 : _____

✏️ 알맞은 식을 쓰고 답을 구하세요.

⑧ 레미는 다트 놀이에서 다트를 7점짜리 과녁에 3개, 5점짜리 과녁에 5개, 2점짜리 과녁에 8개 맞혔습니다. 레미의 다트 점수는 몇 점일까요?

식 ① : _____

식 ② : _____

식 ③ : _____

식 ④ : _____   답 : _____

⑨ 연필은 한 묶음에 9자루, 볼펜은 한 묶음에 6자루, 색연필은 한 묶음에 8자루로 팔고 있습니다. 수혁이가 연필 3묶음, 볼펜 4묶음, 색연필 1묶음을 샀을 때, 수혁이가 산 필기 도구는 모두 몇 자루일까요?

식 ① : _____

식 ② : _____

식 ③ : _____

식 ④ : _____   답 : _____

진단평가

진단평가에는 앞에서 학습한 4주차의 문장제 활동이 순서대로 나옵니다. 잘못 푼 문제가 있으면 몇 주차인지 확인하여 반드시 한 번 더 복습해 봅니다.

1주차	3주차
2주차	4주차

✎ 묶어 세어 수를 구하세요.

① 국화가 2송이씩 4묶음 있습니다. 국화는 모두 몇 송이일까요?

_____

② 지우개가 8개씩 6묶음 있습니다. 지우개는 모두 몇 개일까요?

_____

✎ 알맞은 식을 쓰고 답을 구하세요.

③ 한 접시에 과자를 7개씩 담았습니다. 8접시에 담긴 과자는 모두 몇 개일까요?

식 : _____   답 : _____

④ 팔각형의 꼭짓점은 8개입니다. 팔각형 2개의 꼭짓점은 모두 몇 개일까요?

식 : _____   답 : _____

✎ □가 있는 식을 쓰고 답을 구하세요.

⑤ 똑같은 길이의 테이프 9장을 겹치지 않게 이어 붙였더니 81 cm가 되었습니다. 테이프 한 장의 길이는 몇 cm일까요?

식 : _____   답 : _____

⑥ 쇼핑 카트 8대의 바퀴 수는 모두 32개입니다. 쇼핑 카트 한 대의 바퀴는 몇 개일까요?

식 : _____   답 : _____

✎ 알맞은 식을 쓰고 답을 구하세요.

⑦ 둘째 이모는 24살, 지아는 4살입니다. 셋째 이모의 나이가 지아 나이의 5배일 때, 둘째 이모는 셋째 이모보다 몇 살 더 많을까요?

식 ① : _____

식 ② : _____   답 : _____

⑧ 스티커 45장을 학생 6명에게 6장씩 나누어 주었습니다. 남은 스티커는 몇 장일까요?

식 ① : _____

식 ② : _____   답 : _____

✎ 여러 번 더하는 식으로 나타내어 수를 구하세요.

① 체리가 2개씩 6묶음 있습니다. 체리는 모두 몇 개일까요?

식 : _____ 답 : _____

② 고등어가 5마리씩 5묶음 있습니다. 고등어는 모두 몇 마리일까요?

식 : _____ 답 : _____

✎ 알맞은 식을 완성하고 답을 구하세요.

③ 9와 3의 곱은 얼마일까요?

식 : ☐ × ☐ = ☐   답 : _____

④ 7 곱하기 6은 얼마와 같을까요?

식 : ☐ × ☐ = ☐   답 : _____

✎ 잘못된 계산을 보고 올바르게 계산한 값을 구하세요.

⑤ 어떤 수에 8을 곱해야 할 것을 잘못하여 더했더니 16이 되었습니다. 올바르게 계산한 값은 얼마일까요?

식 ① : _____ 어떤 수 : _____

식 ② : _____ 답 : _____

⑥ 어떤 수에 5를 곱해야 할 것을 잘못하여 7을 곱했더니 56이 되었습니다. 올바르게 계산한 값은 얼마일까요?

식 ① : _____ 어떤 수 : _____

식 ② : _____ 답 : _____

✎ 알맞은 식을 쓰고 답을 구하세요.

⑦ 남학생은 한 모둠에 3명, 여학생은 한 모둠에 4명입니다. 남학생 7모둠과 여학생 3모둠에 있는 학생은 모두 몇 명일까요?

식 ① : _____

식 ② : _____

식 ③ : _____ 답 : _____

✎ 여러 번 더하는 식으로 나타내어 수를 구하세요.

① 제기가 6개 있고, 공기의 수는 제기의 수의 5배입니다. 공기는 몇 개일까요?

식 : _____   답 : _____

② 뱀이 7마리 있고, 개구리의 수는 뱀의 수의 4배입니다. 개구리는 몇 마리일까요?

식 : _____   답 : _____

✎ 알맞은 식을 쓰고 답을 구하세요.

③ 현우는 우표를 매일 8장씩 모았습니다. 이틀 동안 모은 우표는 모두 몇 장일까요?

식 : _____   답 : _____

④ 양말 한 켤레는 2짝입니다. 양말 9켤레는 몇 짝일까요?

식 : _____   답 : _____

✎ □가 있는 식을 쓰고 어떤 수를 구하세요.

⑤ 5에 어떤 수를 곱하였더니 20이 되었습니다. 어떤 수는 얼마일까요?

식 : _____   답 : _____

⑥ 3에 어떤 수를 곱하였더니 27이 되었습니다. 어떤 수는 얼마일까요?

식 : _____   답 : _____

✎ 알맞은 식을 쓰고 답을 구하세요.

⑦ 가위바위보에서 이기면 8점, 비기면 5점, 지면 3점을 얻습니다. 지원이는 가위바위보를 해서 5번 이기고, 6번 비기고, 6번 졌습니다. 지원이의 가위바위보 점수는 몇 점일까요?

식 ① : _____

식 ② : _____

식 ③ : _____

식 ④ : _____   답 : _____

진단평가

✎ 곱셈식으로 나타내어 수를 구하세요.

① 색종이가 6장씩 2묶음 있습니다. 색종이는 모두 몇 장일까요?

식 : _____ 답 : _____

② 바나나가 3개 있고, 체리의 수는 바나나의 수의 3배입니다. 체리는 몇 개일까요?

식 : _____ 답 : _____

✎ 알맞은 식을 쓰고 답을 구하세요.

③ 쌓기나무가 한 층에 3개씩 2층으로 쌓여 있습니다. 쌓기나무는 모두 몇 개일까요?

식 : _____ 답 : _____

④ 한 권에 9장짜리 연습장이 9권 있습니다. 연습장에 있는 종이는 모두 몇 장일까요?

식 : _____ 답 : _____

✎ □가 있는 식을 쓰고 어떤 수를 구하세요.

⑤ 어떤 수에 8을 곱하였더니 24가 되었습니다. 어떤 수는 얼마일까요?

식 : _____   답 : _____

⑥ 어떤 수에 4를 곱하였더니 16이 되었습니다. 어떤 수는 얼마일까요?

식 : _____   답 : _____

✎ 알맞은 식을 쓰고 답을 구하세요.

⑦ 탁자 위에 칫솔을 3개씩 8줄로 늘어놓았더니 1개가 남았습니다. 칫솔은 모두 몇 개일까요?

식 ① : _____

식 ② : _____   답 : _____

⑧ 색종이를 한 사람에게 7장씩 5명에게 나누어 주었더니 5장이 남았습니다. 원래 있던 색종이는 몇 장이었을까요?

식 ① : _____

식 ② : _____   답 : _____

✎ □가 있는 곱셈식을 쓰고 답을 구하세요.

① 단추 56개는 8개씩 몇 묶음일까요?

식 : _____   답 : _____

② 바지가 5벌, 셔츠는 15벌 있습니다. 셔츠의 수는 바지의 수의 몇 배일까요?

식 : _____   답 : _____

✎ 알맞은 식을 쓰고 답을 구하세요.

③ 별이 5개씩 그려진 스티커가 6장 있습니다. 스티커에 그려진 별은 모두 몇 개일까요?

식 : _____   답 : _____

④ 기현이는 하루에 손을 7번 씻습니다. 3일 동안 기현이는 손을 몇 번 씻을까요?

식 : _____   답 : _____

✎ □가 있는 식을 쓰고 답을 구하세요.

⑤ 거미는 다리가 8개입니다. 거미의 다리가 모두 16개라면 거미는 몇 마리 있을까요?

식 : _____   답 : _____

⑥ 탁구공이 한 상자에 9개씩 있습니다. 탁구공 54개는 몇 상자일까요?

식 : _____   답 : _____

✎ 알맞은 식을 쓰고 답을 구하세요.

⑦ 수박이 7통 있습니다. 수박을 한 가족에게 2통씩 5가족에게 나누어 주려면 수박 몇 통이 더 필요할까요?

식 ① : _____

식 ② : _____   답 : _____

⑧ 하진이의 나이는 5살입니다. 엄마는 하진이 나이의 8배보다 4살 더 어립니다. 엄마는 몇 살일까요?

식 ① : _____

식 ② : _____   답 : _____

Memo

하루 10분 서술형/문장제 학습지

씨투엠

수학 독해

정답

B3 곱셈구구
초2~초3

Creative to Math
씨투엠

정답

B3 곱셈구구
초2~초3

몇 배

P 06 ~ 07

1일 묶어 세기

몇씩 묶어 세는 것은 몇씩 뛰어 세는 건과 같아.

몇 개인지 묶어 세어 보세요.

2씩 묶어 세어 보세요.

| 2 | 4 | 6 | 8 | 10 | 12 | 14 |

① 3씩 묶어 세어 보세요.

| 3 | 6 | 9 | 12 | 15 |

② 5씩 묶어 세어 보세요.

| 5 | 10 | 15 | 20 | 25 | 30 |

묶어 세어 수를 구하세요.

구슬이 4개씩 3묶음 있습니다. 구슬은 모두 몇 개일까요?

| 4 | 8 | 12 | | | | __12개__

① 사탕이 3개씩 6묶음 있습니다. 사탕은 모두 몇 개일까요?

| 3 | 6 | 9 | 12 | 15 | 18 | __18개__

② 사과가 5개씩 4묶음 있습니다. 사과는 모두 몇 개일까요?

| 5 | 10 | 15 | 20 | | | __20개__

③ 당근이 2개씩 5묶음 있습니다. 당근은 모두 몇 개일까요?

| 2 | 4 | 6 | 8 | 10 | | __10개__

④ 색종이가 6장씩 4묶음 있습니다. 색종이는 모두 몇 장일까요?

| 6 | 12 | 18 | 24 | | | __24장__

P 08 ~ 09

2일 여러 번 더하기

2개씩 4묶음이면 2를 4번 더하는 뜻이야.

여러 번 더하는 식으로 나타내고 계산해 보세요.

| 2 | + | 2 | + | 2 | + | 2 | = | 8 |

바나나는 2개씩 __4__ 묶음이므로 __8__ 개입니다.

①

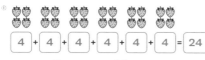

| 4 | + | 4 | + | 4 | + | 4 | + | 4 | + | 4 | = | 24 |

딸기는 4개씩 __6__ 묶음이므로 __24__ 개입니다.

②

| 6 | + | 6 | + | 6 | + | 6 | + | 6 | = | 30 |

복숭아는 6개씩 __5__ 묶음이므로 __30__ 개입니다.

여러 번 더하는 식으로 나타내어 수를 구하세요.

양파가 5개씩 3묶음 있습니다. 양파는 모두 몇 개일까요?

식 : __5+5+5=15__   답 : __15개__

① 수박이 3통씩 6묶음 있습니다. 수박은 모두 몇 통일까요?

식 : __3+3+3+3+3+3=18__   답 : __18통__

② 주사위가 6개씩 4묶음 있습니다. 주사위는 모두 몇 개일까요?

식 : __6+6+6+6=24__   답 : __24개__

③ 사탕이 7개씩 2묶음 있습니다. 사탕은 모두 몇 개일까요?

식 : __7+7=14__   답 : __14개__

④ 동화책이 4권씩 5묶음 있습니다. 동화책은 모두 몇 권일까요?

식 : __4+4+4+4+4=20__   답 : __20권__

P 10 ~ 11

3일 몇의 몇 배

🐝 밑줄 친 곳에 알맞은 수를 써넣으세요.

5 + 5 + 5 + 5 = 20

__5__ 씩 __4__ 묶음은 __20__ 입니다.

__5__ 의 __4__ 배는 __20__ 입니다.

①
__3__ 씩 __3__ 묶음은 __9__ 입니다.

__3__ 의 __3__ 배는 __9__ 입니다.

②
__8__ 씩 __6__ 묶음은 __48__ 입니다.

__8__ 의 __6__ 배는 __48__ 입니다.

🦋 여러 번 더하는 식으로 나타내어 수를 구하세요.

본래 수를 몇 번 더한 만큼인 것을 몇 배라고 해.

동화책이 7권 있고, 시집의 수는 동화책의 수의 3배입니다. 시집은 몇 권일까요?

식 : __7+7+7=21__   답 : __21권__

7의 3배는 7씩 3묶음과 같아.

① 소가 2마리 있고, 돼지의 수는 소의 수의 4배입니다. 돼지는 몇 마리일까요?

식 : __2+2+2+2=8__   답 : __8마리__

② 사탕이 6개 있고, 초콜릿의 수는 사탕의 수의 6배입니다. 초콜릿은 몇 개일까요?

식 : __6+6+6+6+6+6=36__   답 : __36개__

③ 버스가 9대 있고, 트럭의 수는 버스의 수의 2배입니다. 트럭은 몇 대일까요?

식 : __9+9=18__   답 : __18대__

④ 사과가 4개 있고, 딸기의 수는 사과의 수의 5배입니다. 딸기는 몇 개일까요?

식 : __4+4+4+4+4=20__   답 : __20개__

P 12 ~ 13

4일 곱셈식으로 나타내기

🐝 밑줄 친 곳에 알맞은 수를 써넣고, 곱셈식으로 나타내어 보세요.

__6__ 씩 __5__ 묶음

__6__ 의 __5__ 배 ➡ $6 \times 5 = 30$

6+6+6+6+6=30

①
__4__ 씩 __6__ 묶음

__4__ 의 __6__ 배 ➡ $4 \times 6 = 24$

②
__7__ 씩 __4__ 묶음

__7__ 의 __4__ 배 ➡ $7 \times 4 = 28$

🦋 곱셈식으로 나타내어 수를 구하세요.

여러 번 더하는 식을 곱셈식으로 간단하게 나타낼 수 있어.

우유가 3병씩 4묶음 있습니다. 우유는 모두 몇 병일까요?

식 : $3 \times 4 = 12$ 답 : __12병__

3 + 3 + 3 + 3 = 12

① 구슬이 8개씩 3묶음 있습니다. 구슬은 모두 몇 개일까요?

식 : $8 \times 3 = 24$ 답 : __24개__

② 책이 9권 있고, 공책의 수는 책의 수의 6배입니다. 공책은 몇 권일까요?

식 : $9 \times 6 = 54$ 답 : __54권__

③ 해바라기가 5송이씩 2묶음 있습니다. 해바라기는 모두 몇 송이일까요?

식 : $5 \times 2 = 10$ 답 : __10송이__

④ 볼펜이 2자루 있고, 연필의 수는 볼펜의 수의 5배입니다. 연필은 몇 자루일까요?

식 : $2 \times 5 = 10$ 답 : __10자루__

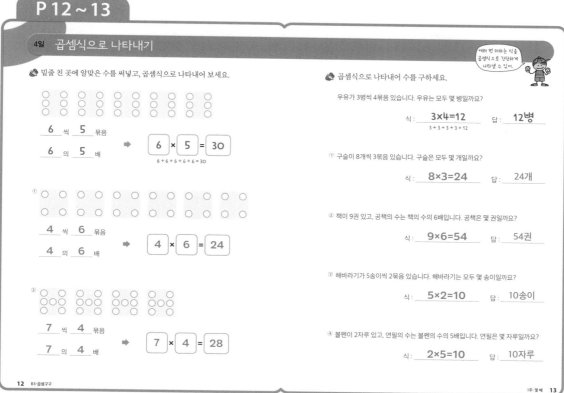

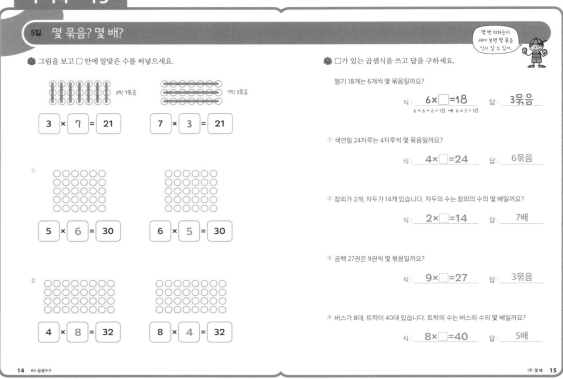

P 14 ~ 15

5일 몇 묶음? 몇 배?

> 몇 번 더하는지 세어 보면 몇 묶음 인지 알 수 있어요.

❀ 그림을 보고 □ 안에 알맞은 수를 써넣으세요.

3씩 7묶음
$3 \times 7 = 21$

7씩 3묶음
$7 \times 3 = 21$

①
$5 \times 6 = 30$

$6 \times 5 = 30$

②
$4 \times 8 = 32$

$8 \times 4 = 32$

❀ □가 있는 곱셈식을 쓰고 답을 구하세요.

딸기 18개는 6개씩 몇 묶음일까요?

식 : $6 \times \boxed{} = 18$　답 : 3묶음

$6 + 6 + 6 = 18 \rightarrow 6 \times 3 = 18$

① 색연필 24자루는 4자루씩 몇 묶음일까요?

식 : $4 \times \boxed{} = 24$　답 : 6묶음

② 참외가 2개, 자두가 14개 있습니다. 자두의 수는 참외의 수의 몇 배일까요?

식 : $2 \times \boxed{} = 14$　답 : 7배

③ 공책 27권은 9권씩 몇 묶음일까요?

식 : $9 \times \boxed{} = 27$　답 : 3묶음

④ 버스가 8대, 트럭이 40대 있습니다. 트럭의 수는 버스의 수의 몇 배일까요?

식 : $8 \times \boxed{} = 40$　답 : 5배

P 16 ~ 17

확인학습

✎ 묶어 세어 수를 구하세요.

① 초콜릿이 5개씩 3묶음 있습니다. 초콜릿은 모두 몇 개일까요?

5　10　15　□　□　　15개

② 연필이 6자루씩 5묶음 있습니다. 연필은 모두 몇 자루일까요?

6　12　18　24　30　□　　30자루

✎ 여러 번 더하는 식으로 나타내어 수를 구하세요.

③ 피자가 2판씩 3묶음 있습니다. 피자는 모두 몇 판일까요?

식 : $2 + 2 + 2 = 6$　답 : 6판

④ 스티커가 9장씩 5묶음 있습니다. 스티커는 모두 몇 장일까요?

식 : $9 + 9 + 9 + 9 + 9 = 45$　답 : 45장

✎ 여러 번 더하는 식으로 나타내어 수를 구하세요.

⑤ 양파가 5개 있고, 당근의 수는 양파의 수의 2배입니다. 당근은 몇 개일까요?

식 : $5 + 5 = 10$　답 : 10개

⑥ 남자가 8명 있고, 여자의 수는 남자의 수의 4배입니다. 여자는 몇 명일까요?

식 : $8 + 8 + 8 + 8 = 32$　답 : 32명

✎ 곱셈식으로 나타내어 수를 구하세요.

⑦ 음료수가 6캔씩 7묶음 있습니다. 음료수는 몇 캔일까요?

식 : $6 \times 7 = 42$　답 : 42캔

⑧ 가위가 5개 있고, 딱풀의 수는 가위의 수의 5배입니다. 딱풀은 몇 개일까요?

식 : $5 \times 5 = 25$　답 : 25개

P 18

확인학습

✎ □가 있는 곱셈식을 쓰고 답을 구하세요.

⑨ 초콜릿이 3개, 사탕이 21개 있습니다. 사탕의 수는 초콜릿의 수의 몇 배일까요?

식 : $3 \times \square = 21$ 답 : 7배

⑩ 오징어 35마리는 7마리씩 몇 묶음일까요?

식 : $7 \times \square = 35$ 답 : 5묶음

⑪ 주사위 42개는 6개씩 몇 묶음일까요?

식 : $6 \times \square = 42$ 답 : 7묶음

⑫ 여자가 2명, 남자가 4명 있습니다. 남자의 수는 여자의 수의 몇 배일까요?

식 : $2 \times \square = 4$ 답 : 2배

⑬ 장미 20송이는 5송이씩 몇 묶음일까요?

식 : $5 \times \square = 20$ 답 : 4묶음

곱셈구구

P 20 ~ 21

1일 곱셈구구표

곱셈구구표에서 두 수가 만나는 곳에 있는 수가 두 수의 곱이야.

곱셈구구표의 빈 곳을 알맞게 채워 보세요.

×	1	2	3	4	5	6	7	8	9
1	1	2	3	4	5	6	7	8	9
2	2	4	6	8	10	12	14	16	18
3	3	6	9	12	15	18	21	24	27
4	4	8	12	16	20	24	28	32	36
5	5	10	15	20	25	30	35	40	45
6	6	12	18	24	30	36	42	48	54
7	7	14	21	28	35	42	49	56	63
8	8	16	24	32	40	48	56	64	72
9	9	18	27	36	45	54	63	72	81

알맞은 식을 완성하고 답을 구하세요.

2 곱하기 7은 얼마와 같을까요?

식 : $2 \times 7 = 14$ 답 : 14

① 3과 3의 곱은 얼마일까요?

식 : $3 \times 3 = 9$ 답 : 9

② 4 곱하기 9는 얼마와 같을까요?

식 : $4 \times 9 = 36$ 답 : 36

③ 5와 8의 곱은 얼마일까요?

식 : $5 \times 8 = 40$ 답 : 40

④ 6 곱하기 5는 얼마와 같을까요?

식 : $6 \times 5 = 30$ 답 : 30

P 22 ~ 23

2일 2의 단, 4의 단, 8의 단

2, 4, 6, 8의 단의 곱은 항상 짝수가 되지, 왜 그럴까?

알맞은 식을 완성하고 답을 구하세요.

2의 5배는 얼마일까요?

식 : $2 \times 5 = 10$ 답 : 10

이일은 이, 이이는 사, 이삼은 육, 이사 팔, 이오 십

① 4의 5배는 얼마일까요?

식 : $4 \times 5 = 20$ 답 : 20

② 2씩 7묶음은 얼마일까요?

식 : $2 \times 7 = 14$ 답 : 14

③ 4씩 7묶음은 얼마일까요?

식 : $4 \times 7 = 28$ 답 : 28

④ 8씩 7묶음은 얼마일까요?

식 : $8 \times 7 = 56$ 답 : 56

알맞은 식을 쓰고 답을 구하세요.

막대 하나의 길이는 4 cm입니다. 막대 6개의 길이는 몇 cm일까요?

식 : $4 \times 6 = 24$ 답 : 24 cm

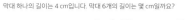
사일은 사, 사이 팔, 사삼 십이, 사사 십육, 사오 이십, 사육 이십사

① 안경 한 개에는 안경알이 2개 있습니다. 안경 4개에는 안경알이 모두 몇 개일까요?

식 : $2 \times 4 = 8$ 답 : 8개

② 거미의 다리는 8개입니다. 거미 8마리의 다리는 모두 몇 개일까요?

식 : $8 \times 8 = 64$ 답 : 64개

③ 연필이 한 통에 4자루씩 들어 있습니다. 9통에 들어 있는 연필은 모두 몇 자루일까요?

식 : $4 \times 9 = 36$ 답 : 36자루

④ 꽃병에 장미가 8송이씩 꽂혀 있습니다. 꽃병 3개에 꽂혀 있는 장미는 모두 몇 송이일까요?

식 : $8 \times 3 = 24$ 답 : 24송이

P 24 ~ 25

3일 3의 단, 6의 단, 9의 단

🐝 알맞은 식을 완성하고 답을 구하세요.

3씩 2묶음은 얼마일까요?

식 : $3 \times 2 = 6$ 답 : __6__
삼일은 삼, 삼이 육

① 6씩 2묶음은 얼마일까요?

식 : $6 \times 2 = 12$ 답 : __12__

② 3의 6배는 얼마일까요?

식 : $3 \times 6 = 18$ 답 : __18__

③ 6의 6배는 얼마일까요?

식 : $6 \times 6 = 36$ 답 : __36__

④ 9의 6배는 얼마일까요?

식 : $9 \times 6 = 54$ 답 : __54__

🐝 알맞은 식을 쓰고 답을 구하세요.

6의 단, 9의 단의
곱의 일부는 3의 단의
곱이 같은 수야.

호준이는 수학 문제를 매일 9문제씩 풀었습니다. 호준이가 5일 동안 푼 수학 문제는 몇 문제일까요?

식 : $9 \times 5 = 45$ 답 : __45문제__
구일은 구, 구이 십팔, 구삼 이십칠, 구사 삼십육, 구오 사십오

① 삼각형의 변의 수는 3개입니다. 삼각형 4개의 변의 수는 모두 몇 개일까요?

식 : __$3 \times 4 = 12$__   답 : __12개__

② 주사위에는 6개의 면이 있습니다. 주사위 7개의 면은 모두 몇 개일까요?

식 : __$6 \times 7 = 42$__   답 : __42개__

③ 야구는 한 팀에 9명씩 경기를 합니다. 야구팀 8개에서 경기를 하는 선수는 모두 몇 명일까요?

식 : __$9 \times 8 = 72$__   답 : __72명__

④ 아영이는 매일 3번씩 밥을 먹습니다. 3일 동안 아영이는 밥을 몇 번 먹을까요?

식 : __$3 \times 3 = 9$__   답 : __9번__

P 26 ~ 27

4일 5의 단, 7의 단

🐝 알맞은 식을 완성하고 답을 구하세요.

5의 3배는 얼마일까요?

식 : $5 \times 3 = 15$ 답 : __15__
오일은 오, 오이 십, 오삼 십오

① 5의 4배는 얼마일까요?

식 : $5 \times 4 = 20$ 답 : __20__

② 5의 5배는 얼마일까요?

식 : $5 \times 5 = 25$ 답 : __25__

③ 7씩 5묶음은 얼마일까요?

식 : $7 \times 5 = 35$ 답 : __35__

④ 7씩 6묶음은 얼마일까요?

식 : $7 \times 6 = 42$ 답 : __42__

🐝 알맞은 식을 쓰고 답을 구하세요.

5의 단의 일의
자리 숫자는 항상 5
또는 이야.

일주일은 7일입니다. 4주일은 며칠일까요?

식 : __$7 \times 4 = 28$__   답 : __28일__
칠일은 칠, 칠이 십사, 칠삼 이십일, 칠사 이십팔

① 색연필이 한 통에 7자루씩 들어 있습니다. 2통에 들어 있는 색연필은 모두 몇 자루일까요?

식 : __$7 \times 2 = 14$__   답 : __14자루__

② 장갑 한 짝의 손가락은 5개입니다. 장갑 2짝의 손가락은 모두 몇 개일까요?

식 : __$5 \times 2 = 10$__   답 : __10개__

③ 코스모스 한 송이에 꽃잎이 5장씩 있습니다. 코스모스 8송이에 있는 꽃잎은 모두 몇 장일까요?

식 : __$5 \times 8 = 40$__   답 : __40장__

④ 공이 7개씩 들어 있는 자루가 7자루 있습니다. 공은 모두 몇 개일까요?

식 : __$7 \times 7 = 49$__   답 : __49개__

P 28 ~ 29

5일 곱셈구구 종합

문제를 보고 먼저 곱셈구구를 써야할지 먼저 생각해 봐.

❀ 알맞은 식을 쓰고 답을 구하세요.

금화가 한 자루에 9개씩 들어 있습니다. 4자루에 들어 있는 금화는 모두 몇 개일까요?

식 : 9×4=36   답 : 36개

구립은 구, 구이 십팔, 구삼 이십칠, 구사 삼십육

① 거북이의 다리는 4개입니다. 거북이 6마리의 다리는 모두 몇 개일까요?

식 : 4×6=24   답 : 24개

② 태웅이가 하루에 동화책을 6쪽씩 읽었습니다. 8일 동안 태웅이가 읽은 동화책은 몇 쪽일까요?

식 : 6×8=48   답 : 48쪽

③ 2반 학생들이 3명씩 한 모둠으로 환경지킴이 활동을 했습니다. 5모둠에 있는 학생들은 모두 몇 명일까요?

식 : 3×5=15   답 : 15명

④ 꼬치 한 줄에 방울토마토 8개를 꽂았습니다. 꼬치 9줄에 꽂힌 방울토마토는 모두 몇 개일까요?

식 : 8×9=72   답 : 72개

⑤ 식탁 위에 젓가락 4매가 있습니다. 젓가락은 모두 몇 개일까요?

식 : 2×4=8   답 : 8개

⑥ 잠자리의 날개는 4개입니다. 잠자리 8마리의 날개는 모두 몇 개일까요?

식 : 4×8=32   답 : 32개

⑦ 꽃병에 국화가 9송이씩 꽂혀 있습니다. 꽃병 6개에 꽂혀 있는 국화는 모두 몇 송이일까요?

식 : 9×6=54   답 : 54송이

⑧ 초이는 포도를 하루에 5알씩 먹습니다. 초이가 5일 동안 먹는 포도는 모두 몇 알일까요?

식 : 5×5=25   답 : 25알

⑨ 주사위에는 6개의 면이 있습니다. 주사위 6개에 있는 면은 모두 몇 개일까요?

식 : 6×6=36   답 : 36개

P 30 ~ 31

확인학습

✏ 알맞은 식을 완성하고 답을 구하세요.

① 1과 8의 곱은 얼마일까요?

식 : 1 × 8 = 8   답 : 8

② 8 곱하기 7은 얼마와 같을까요?

식 : 8 × 7 = 56   답 : 56

✏ 알맞은 식을 쓰고 답을 구하세요.

③ 한 통의 무게가 4 kg인 멜론 7통의 무게는 몇 kg일까요?

식 : 4×7=28   답 : 28 kg

④ 양파가 한 망에 8개씩 들어 있습니다. 6망에 들어 있는 양파는 모두 몇 개일까요?

식 : 8×6=48   답 : 48개

✏ 알맞은 식을 쓰고 답을 구하세요.

⑤ 잠자리의 다리는 6개입니다. 잠자리 4마리의 다리는 모두 몇 개일까요?

식 : 6×4=24   답 : 24개

⑥ 자전거 가게에 세발자전거가 6대 있습니다. 세발자전거의 바퀴는 모두 몇 개일까요?

식 : 3×6=18   답 : 18개

✏ 알맞은 식을 쓰고 답을 구하세요.

⑦ 일주일은 7일입니다. 8주일은 며칠일까요?

식 : 7×8=56   답 : 56일

⑧ 오리 1마리가 알을 5개씩 낳았습니다. 오리 7마리가 낳은 알은 모두 몇 개일까요?

식 : 5×7=35   답 : 35개

P 32

확인학습

✎ 알맞은 식을 쓰고 답을 구하세요.

⑨ 한 사람이 손가락에 반지를 5개씩 꼈습니다. 8명이 손가락에 낀 반지는 모두 몇 개일까요?

식 : __5×8=40__ 답 : __40개__

⑩ 볼펜이 한 묶음에 7자루씩 있습니다. 볼펜 7묶음은 몇 자루일까요?

식 : __7×7=49__ 답 : __49자루__

⑪ 문어의 다리는 8개입니다. 문어 5마리의 다리는 모두 몇 개일까요?

식 : __8×5=40__ 답 : __40개__

⑫ 하루에 3번 이를 닦아야 합니다. 이틀 동안 이를 몇 번 닦아야 할까요?

식 : __3×2=6__ 답 : __6번__

⑬ 치킨 한 마리에 닭다리가 2개씩 있습니다. 치킨 9마리에 있는 닭다리는 모두 몇 개일까요?

식 : __2×9=18__ 답 : __18개__

어떤 수 곱셈식

1일 몇 곱하기 어떤 수

곱셈식의 첫 번째 수의 단을 외워서 어떤 수를 찾아봐.

❀ 식의 빈칸과 밑줄 친 곳에 알맞은 수를 써넣으세요.

| 6 | × | 5 | = | 30 | 육삼 십팔, 육사 이십사, 육오 삼십 |

6에 **5** 를 곱하였더니 30이 되었습니다.

① | 3 | × | 7 | = | 21 |

3에 **7** 을 곱하였더니 21이 되었습니다.

② | 9 | × | 1 | = | 9 |

9에 **1** 을 곱하였더니 9가 되었습니다.

③ | 2 | × | 8 | = | 16 |

2에 **8** 을 곱하였더니 16이 되었습니다.

❀ □가 있는 식을 쓰고 어떤 수를 구하세요.

8에 어떤 수를 곱하였더니 32가 되었습니다. 어떤 수는 얼마일까요?

식 : **8×□=32** 답 : **4**

팔이 십육, 팔삼 이십사, 팔사 삼십이

① 7에 어떤 수를 곱하였더니 49가 되었습니다. 어떤 수는 얼마일까요?

식 : **7×□=49** 답 : **7**

② 2에 어떤 수를 곱하였더니 6이 되었습니다. 어떤 수는 얼마일까요?

식 : **2×□=6** 답 : **3**

③ 5에 어떤 수를 곱하였더니 45가 되었습니다. 어떤 수는 얼마일까요?

식 : **5×□=45** 답 : **9**

④ 4에 어떤 수를 곱하였더니 20이 되었습니다. 어떤 수는 얼마일까요?

식 : **4×□=20** 답 : **5**

2일 어떤 수 곱하기 몇

4 × 7, 7 × 4처럼 같이 계산 순서를 바꾸어도 곱은 같아.

❀ 식의 빈칸과 밑줄 친 곳에 알맞은 수를 써넣으세요.

| 4 | × | 7 | = | 28 | → 7 × □ = 28 |

칠이 십사, 칠삼 이십일, 칠사 이십팔

4 에 7을 곱하였더니 28이 되었습니다.

① | 2 | × | 4 | = | 8 |

2 에 4를 곱하였더니 8이 되었습니다.

② | 7 | × | 6 | = | 42 |

7 에 6을 곱하였더니 42가 되었습니다.

③ | 5 | × | 3 | = | 15 |

5 에 3을 곱하였더니 15가 되었습니다.

❀ □가 있는 식을 쓰고 어떤 수를 구하세요.

어떤 수에 3을 곱하였더니 15가 되었습니다. 어떤 수는 얼마일까요?

식 : **□×3=15** 답 : **5**

→ 3 × □ = 15

삼삼은 구, 삼사 십이, 삼오 십오

① 어떤 수에 5를 곱하였더니 20이 되었습니다. 어떤 수는 얼마일까요?

식 : **□×5=20** 답 : **4**

② 어떤 수에 1을 곱하였더니 8이 되었습니다. 어떤 수는 얼마일까요?

식 : **□×1=8** 답 : **8**

③ 어떤 수에 2를 곱하였더니 10이 되었습니다. 어떤 수는 얼마일까요?

식 : **□×2=10** 답 : **5**

④ 어떤 수에 9를 곱하였더니 54가 되었습니다. 어떤 수는 얼마일까요?

식 : **□×9=54** 답 : **6**

P 38 ~ 39

3일 네모가 있는 곱셈(1)

구해야 하는 값을 네모로 나타낸 곱셈식을 만들어 봐.

🐝 □가 있는 식을 쓰고 답을 구하세요.

개구리 한 마리의 다리는 4개입니다. 개구리의 다리가 모두 16개라면 개구리는 몇 마리일까요?

식 : $4 \times \square = 16$ 답 : **4마리**

사이 팔, 사삼 십이, 사사 십육

① 영주는 하루에 달리기를 2번씩 합니다. 영주가 달리기를 12번 했다면 달리기를 며칠 동안 했을까요?

식 : $2 \times \square = 12$ 답 : 6일

② 사과를 한 봉지에 6개씩 넣으려고 합니다. 사과가 12개 있다면 몇 봉지가 필요할까요?

식 : $6 \times \square = 12$ 답 : 2봉지

③ 탁자 한 개에 의자가 9개씩 놓여 있습니다. 의자가 모두 45개라면 탁자는 몇 개일까요?

식 : $9 \times \square = 45$ 답 : 5개

④ 놀이 기구에 어린이를 한 번에 5명씩 태우려고 합니다. 어린이 40명이 타려면 놀이 기구를 몇 번 움직여야 할까요?

식 : $5 \times \square = 40$ 답 : 8번

⑤ 우창이는 소설책을 매일 7쪽씩 읽으려고 합니다. 35쪽짜리 소설책을 다 읽으려면 며칠이 걸릴까요?

식 : $7 \times \square = 35$ 답 : 5일

⑥ 농장에 있는 소의 다리 수는 모두 32개입니다. 소는 몇 마리일까요?

식 : $4 \times \square = 32$ 답 : 8마리

⑦ 달팽이가 1분에 5 cm씩 움직여서 20 cm 움직였습니다. 달팽이는 몇 분 동안 움직였을까요?

식 : $5 \times \square = 20$ 답 : 4분

⑧ 강당에 아이들이 한 줄에 8명씩 56명 서 있습니다. 아이들은 몇 줄 서 있을까요?

식 : $8 \times \square = 56$ 답 : 7줄

⑨ 놀이터에 있는 세발자전거의 바퀴 수는 모두 27개입니다. 세발자전거는 몇 대 있을까요?

식 : $3 \times \square = 27$ 답 : 9대

P 40 ~ 41

4일 네모가 있는 곱셈(2)

네모가 앞에 있는 식은 뒤에 있는 수의 단을 외우면 돼.

🐝 □가 있는 식을 쓰고 답을 구하세요.

쌓기나무를 한 층에 같은 개수로 5층을 쌓았습니다. 쌓기나무가 30개일 때 한 층에 있는 쌓기나무는 몇 개일까요?

식 : $\square \times 5 = 30$ 답 : **6개**

오사 이십, 오오 이십오, 오육 삼십

① 똑같은 다각형 6개의 꼭짓점 수는 모두 24개입니다. 이 다각형은 무엇일까요?

식 : $\square \times 6 = 24$ 답 : 사각형

② 두준이는 매일 같은 수의 수학 문제를 3일 동안 풀어서 모두 9문제를 풀었습니다. 두준이는 하루에 몇 문제씩 풀었을까요?

식 : $\square \times 3 = 9$ 답 : 3문제

③ 고등어 40마리를 8봉지에 똑같이 나누어 담았습니다. 한 봉지에 몇 마리씩 나누어 담았을까요?

식 : $\square \times 8 = 40$ 답 : 5마리

④ 버스 2대에 18명이 똑같이 나누어 탔습니다. 한 버스에 몇 명씩 탔을까요?

식 : $\square \times 2 = 18$ 답 : 9명

⑤ 딱정벌레 9마리의 다리는 모두 54개입니다. 딱정벌레 한 마리의 다리는 몇 개일까요?

식 : $\square \times 9 = 54$ 답 : 6개

⑥ 양말 6켤레는 12짝입니다. 양말 한 켤레는 몇 짝일까요?

식 : $\square \times 6 = 12$ 답 : 2짝

⑦ 우진이는 매일 스티커를 몇 장씩 모으려고 합니다. 일주일 동안 스티커 56장을 모으려면 하루에 몇 장씩 모아야 할까요?

식 : $\square \times 7 = 56$ 답 : 8장

⑧ 4주는 28일입니다. 일주일은 며칠일까요?

식 : $\square \times 4 = 28$ 답 : 7일

⑨ 주사위 5개의 면의 수는 모두 30개입니다. 주사위 한 개에 있는 면은 몇 개일까요?

식 : $\square \times 5 = 30$ 답 : 6개

P 42 ~ 43

5일 잘못된 계산

잘못 계산한 식을 보고 어떤 수를 먼저 구해야 해.

❀ 잘못된 계산을 보고 올바르게 계산한 값을 구하세요.

어떤 수에 8을 곱해야 할 것을 잘못하여 6을 곱했더니 36이 되었습니다. 올바르게 계산한 값은 얼마일까요?

식①: ☐×6=36   어떤 수 : 6
     육육 삼십육
식②: 6×8=48   답 : 48

① 어떤 수에 7을 곱해야 할 것을 잘못하여 3을 곱했더니 15가 되었습니다. 올바르게 계산한 값은 얼마일까요?

식①: ☐×3=15   어떤 수 : 5
식②: 5×7=35   답 : 35

② 어떤 수에 4를 곱해야 할 것을 잘못하여 8을 곱했더니 40이 되었습니다. 올바르게 계산한 값은 얼마일까요?

식①: ☐×8=40   어떤 수 : 5
식②: 5×4=20   답 : 20

③ 어떤 수에 5를 곱해야 할 것을 잘못하여 더했더니 12가 되었습니다. 올바르게 계산한 값은 얼마일까요?

식①: ☐+5=12   어떤 수 : 7
식②: 7×5=35   답 : 35

④ 어떤 수에 3을 곱해야 할 것을 잘못하여 9를 곱했더니 81이 되었습니다. 올바르게 계산한 값은 얼마일까요?

식①: ☐×9=81   어떤 수 : 9
식②: 9×3=27   답 : 27

⑤ 어떤 수에 9를 곱해야 할 것을 잘못하여 더했더니 13이 되었습니다. 올바르게 계산한 값은 얼마일까요?

식①: ☐+9=13   어떤 수 : 4
식②: 4×9=36   답 : 36

P 44 ~ 45

확인학습

✎ ☐가 있는 식을 쓰고 어떤 수를 구하세요.

① 6에 어떤 수를 곱하였더니 42가 되었습니다. 어떤 수는 얼마일까요?

식 : 6×☐=42   답 : 7

② 어떤 수에 7을 곱하였더니 56이 되었습니다. 어떤 수는 얼마일까요?

식 : ☐×7=56   답 : 8

③ 어떤 수에 2를 곱하였더니 18이 되었습니다. 어떤 수는 얼마일까요?

식 : ☐×2=18   답 : 9

④ 9에 어떤 수를 곱하였더니 72가 되었습니다. 어떤 수는 얼마일까요?

식 : 9×☐=72   답 : 8

⑤ 어떤 수에 3을 곱하였더니 21이 되었습니다. 어떤 수는 얼마일까요?

식 : ☐×3=21   답 : 7

✎ ☐가 있는 식을 쓰고 답을 구하세요.

⑥ 바나나가 한 송이에 6개씩 모두 18개 있습니다. 바나나는 몇 송이 있을까요?

식 : 6×☐=18   답 : 3송이

⑦ 장갑 2짝에 손가락이 10개 있습니다. 장갑 한 짝에는 손가락이 몇 개 있을까요?

식 : ☐×2=10   답 : 5개

⑧ 앵무새를 새장에 2마리씩 넣으려고 합니다. 앵무새 14마리를 넣으려면 새장은 몇 개가 필요할까요?

식 : 2×☐=14   답 : 7개

⑨ 똑같은 다각형 4개의 변의 수는 모두 12개입니다. 이 다각형은 무엇일까요?

식 : ☐×4=12   답 : 삼각형

⑩ 일주일은 7일입니다. 56일은 몇 주일까요?

식 : 7×☐=56   답 : 8주

P 46

확인학습

✎ 잘못된 계산을 보고 올바르게 계산한 값을 구하세요.

⑪ 어떤 수에 2를 곱해야 할 것을 잘못하여 3을 곱했더니 9가 되었습니다. 올바르게 계산한 값은 얼마일까요?

식① : $\square \times 3 = 9$ 어떤 수 :   3

식② : $3 \times 2 = 6$ 답 :   6

⑫ 어떤 수에 7을 곱해야 할 것을 잘못하여 더했더니 10이 되었습니다. 올바르게 계산한 값은 얼마일까요?

식① : $\square + 7 = 10$ 어떤 수 :   3

식② : $3 \times 7 = 21$ 답 :   21

⑬ 어떤 수에 6을 곱해야 할 것을 잘못하여 9를 곱했더니 45가 되었습니다. 올바르게 계산한 값은 얼마일까요?

식① : $\square \times 9 = 45$ 어떤 수 :   5

식② : $5 \times 6 = 30$ 답 :   30

P 48 ~ 49

1일 곱과 합

곱셈식과 덧셈식을 함께 사용해서 문제를 해결할 수 있어.

❀ 알맞은 곱셈식과 덧셈식을 쓰고 답을 구하세요.

3의 4배보다 5 큰 수는 얼마일까요?

식① : $3×4=12$ 3의 4배 : **12**

식② : $12+5=17$ 답 : **17**

① 7씩 3묶음에 6을 더하면 얼마일까요?

식① : $7×3=21$ 7씩 3묶음 : **21**

식② : $21+6=27$ 답 : **27**

② 5의 6배에 3을 더하면 얼마일까요?

식① : $5×6=30$ 5의 6배 : **30**

식② : $30+3=33$ 답 : **33**

③ 8씩 2묶음보다 1 큰 수는 얼마일까요?

식① : $8×2=16$ 8씩 2묶음 : **16**

식② : $16+1=17$ 답 : **17**

❀ 알맞은 식을 쓰고 답을 구하세요.

송이는 8살입니다. 엄마는 송이 나이의 5배보다 2살 더 많습니다. 엄마는 몇 살일까요?

식① : $8×5=40$ → 송이 나이의 5배 : 40

식② : $40+2=42$ 답 : **42살**

① 사탕을 한 사람에게 4개씩 7명에게 나누어 주었더니 3개가 남았습니다. 원래 있던 사탕은 몇 개였을까요?

식① : $4×7=28$

식② : $28+3=31$ 답 : **31개**

② 학생들을 한 줄에 9명씩 3줄로 세웠더니 8명이 남았습니다. 학생은 모두 몇 명일까요?

식① : $9×3=27$

식② : $27+8=35$ 답 : **35명**

③ 볼펜은 3자루이고, 연필은 볼펜 수의 4배보다 2개 더 많습니다. 연필은 몇 자루 있을까요?

식① : $3×4=12$

식② : $12+2=14$ 답 : **14자루**

P 50 ~ 51

2일 곱과 차(1)

'몇 빼'나 '몇 씩 몇'과 같은 말은 곱셈을 뜻하지.

❀ 알맞은 곱셈식과 뺄셈식을 쓰고 답을 구하세요.

5의 2배에서 3을 빼면 얼마일까요?

식① : $5×2=10$ 5의 2배 : **10**

식② : $10-3=7$ 답 : **7**

① 4씩 7묶음보다 2 작은 수는 얼마일까요?

식① : $4×7=28$ 4씩 7묶음 : **28**

식② : $28-2=26$ 답 : **26**

② 5씩 5묶음에서 6을 빼면 얼마일까요?

식① : $5×5=25$ 5씩 5묶음 : **25**

식② : $25-6=19$ 답 : **19**

③ 6의 9배보다 5 작은 수는 얼마일까요?

식① : $6×9=54$ 6의 9배 : **54**

식② : $54-5=49$ 답 : **49**

❀ 알맞은 식을 쓰고 답을 구하세요.

종이학을 한 사람에게 4마리씩 8명에게 나누어 주려고 하니 3마리가 모자랐습니다. 종이학은 모두 몇 마리일까요?

식① : $4×8=32$ → 4마리씩 8명 : 32

식② : $32-3=29$ 답 : **29마리**

① 수영장에 남자가 6명 있고, 여자는 남자의 수의 5배보다 5명 더 적게 있습니다. 수영장에 있는 여자는 몇 명일까요?

식① : $6×5=30$

식② : $30-5=25$ 답 : **25명**

② 초콜릿이 19개 있습니다. 초콜릿을 한 사람에게 3개씩 7명에게 나누어 주려면 초콜릿 몇 개가 더 필요할까요?

식① : $3×7=21$

식② : $21-19=2$ 답 : **2개**

③ 복숭아를 한 봉지에 7개씩 9봉지에 담으려고 하니 2개가 모자랐습니다. 복숭아는 모두 몇 개일까요?

식① : $7×9=63$

식② : $63-2=61$ 답 : **61개**

P 52 ~ 53

3일 곱과 차(2)

두 수의 곱과 나머지 수의 차를 구해야 하는 문제예요.

🐝 알맞은 곱셈식과 뺄셈식을 쓰고 답을 구하세요.

45에서 6의 7배를 빼면 얼마일까요?

식① : $6×7=42$ 6의 7배 : 42

식② : $45-42=3$ 답 : 3

① 20에서 2씩 9묶음을 빼면 얼마일까요?

식① : $2×9=18$ 2씩 9묶음 : 18

식② : $20-18=2$ 답 : 2

② 69에서 8의 8배를 빼면 얼마일까요?

식① : $8×8=64$ 8의 8배 : 64

식② : $69-64=5$ 답 : 5

③ 53에서 6씩 8묶음을 빼면 얼마일까요?

식① : $6×8=48$ 6씩 8묶음 : 48

식② : $53-48=5$ 답 : 5

🐝 알맞은 식을 쓰고 답을 구하세요.

지우개 25개를 친구 3명에게 6개씩 나누어 주었습니다. 남은 지우개는 몇 개일까요?

식① : $3×6=18$ → 3명에게 6개씩 : 18

식② : $25-18=7$ 답 : $7개$

① 바둑돌 65개를 한 줄에 9개씩 7줄로 놓았습니다. 남은 바둑돌은 몇 개일까요?

식① : $9×7=63$

식② : $65-63=2$ 답 : $2개$

② 학생 52명을 보트 한 대에 8명씩 6대에 태우려고 합니다. 보트에 타지 못하는 학생은 몇 명일까요?

식① : $8×6=48$

식② : $52-48=4$ 답 : $4명$

③ 묘목 19그루를 한 줄에 2그루씩 8줄로 심었습니다. 남은 묘목은 몇 그루일까요?

식① : $2×8=16$

식② : $19-16=3$ 답 : $3그루$

P 54 ~ 55

4일 두 곱의 합

곱셈식 2개로 곱을 구한 후, 두 곱의 합을 계산해.

🐝 알맞은 곱셈식과 덧셈식을 쓰고 답을 구하세요.

8의 3배에 7의 8배를 더하면 얼마일까요?

식① : $8×3=24$ 8의 3배 : 24

식② : $7×8=56$ 7의 8배 : 56

식③ : $24+56=80$ 답 : 80

(8의 3배) + (7의 8배)

① 6의 2배와 5의 3배의 합은 얼마일까요?

식① : $6×2=12$ 6의 2배 : 12

식② : $5×3=15$ 5의 3배 : 15

식③ : $12+15=27$ 답 : 27

② 1씩 9묶음과 4씩 8묶음의 합은 얼마일까요?

식① : $1×9=9$ 1씩 9묶음 : 9

식② : $4×8=32$ 4씩 8묶음 : 32

식③ : $9+32=41$ 답 : 41

🐝 알맞은 식을 쓰고 답을 구하세요.

복숭아는 한 봉지에 5개씩, 자두는 한 봉지에 8개씩 팔고 있습니다. 복숭아 3봉지와 자두 4봉지에 들어 있는 과일은 모두 몇 개일까요?

식① : $5×3=15$ → 복숭아의 수 : 15

식② : $8×4=32$ → 자두의 수 : 32

식③ : $15+32=47$ 답 : $47개$

(복숭아의 수) + (자두의 수)

① 농장에 돼지 4마리와 닭 7마리가 있습니다. 돼지와 닭의 다리의 수는 모두 몇 개일까요?

식① : $4×4=16$

식② : $2×7=14$

식③ : $16+14=30$ 답 : $30개$

② 흰 바둑돌은 6개씩 3줄, 검은 바둑돌은 4개씩 5줄로 놓았습니다. 바둑돌은 모두 몇 개일까요?

식① : $6×3=18$

식② : $4×5=20$

식③ : $18+20=38$ 답 : $38개$

곱셈구구 활용

P 56 ~ 57

5일 세 곱의 합

여러 곱의 합을 구하는 문제도 차근차근 풀면 답이 나와.

❀ 알맞은 식을 쓰고 답을 구하세요.

수영 경기에서 1등은 3점, 2등은 2점, 3등은 1점을 얻습니다. 3반에는 1등이 5명, 2등이 3명, 3등이 8명 있습니다. 3반의 수영 점수는 모두 몇 점일까요?

식① : **3×5=15** → 1등 점수 : 15

식② : **2×3=6** → 2등 점수 : 6

식③ : **1×8=8** → 3등 점수 : 8

식④ : **15+6+8=29**   답 : **29점**

② 사막에 까마귀가 7마리, 낙타가 2마리, 거미가 3마리 있습니다. 세 동물의 다리의 수는 모두 몇 개일까요?

식① : **7×2=14**

식② : **2×4=8**

식③ : **3×8=24**

식④ : **14+8+24=46**   답 : **46개**

① 주안이는 수학 테스트에서 한 문제에 5점짜리 문제를 8개, 3점짜리 문제를 7개, 2점짜리 문제를 5개 맞혔습니다. 주안이의 수학 테스트 점수는 몇 점일까요?

식① : **5×8=40**

식② : **3×7=21**

식③ : **2×5=10**

식④ : **40+21+10=71**   답 : **71점**

③ 특급 곶감은 한 통에 4개, 상급 곶감은 한 통에 6개, 고급 곶감은 한 통에 9개 들어 있습니다. 특급 곶감 4통, 상급 곶감 1통, 고급 곶감 2통에 들어 있는 곶감은 모두 몇 개일까요?

식① : **4×4=16**

식② : **6×1=6**

식③ : **9×2=18**

식④ : **16+6+18=40**   답 : **40개**

P 58 ~ 59

확인학습

✎ 알맞은 식을 쓰고 답을 구하세요.

① 단추를 8개씩 9줄로 늘어놓으려고 하니 4개가 모자랐습니다. 단추는 모두 몇 개일까요?

식① : **8×9=72**

식② : **72-4=68**   답 : **68개**

② 개미의 다리는 6개입니다. 지네의 다리는 개미 다리 수의 8배보다 4개 더 많습니다. 지네의 다리는 몇 개일까요?

식① : **6×8=48**

식② : **48+4=52**   답 : **52개**

③ 장미꽃이 13송이 있습니다. 장미꽃을 3명에게 5송이씩 나누어 주려면 장미꽃 몇 송이가 더 필요할까요?

식① : **3×5=15**

식② : **15-13=2**   답 : **2송이**

④ 물고기 27마리를 한 어항에 7마리씩 어항 3개에 나누어 넣었습니다. 어항에 들어 가지 못한 물고기는 몇 마리일까요?

식① : **7×3=21**

식② : **27-21=6**   답 : **6마리**

✎ 알맞은 식을 쓰고 답을 구하세요.

⑤ 동물원에 코뿔소 4마리와 두루미 3마리가 있습니다. 코뿔소와 두루미의 다리의 수는 모두 몇 개일까요?

식① : **8×4=32**

식② : **3×2=6**

식③ : **32+6=38**   답 : **38개**

⑥ 농구공은 한 상자에 6개, 배구공은 한 상자에 8개 들어 있습니다. 농구공 2상자, 배구공 3상자에 들어 있는 공은 모두 몇 개일까요?

식① : **6×2=12**

식② : **8×3=24**

식③ : **12+24=36**   답 : **36개**

⑦ 빨강 색종이가 5장씩 7묶음, 파랑 색종이가 9장씩 4묶음 있습니다. 색종이는 모두 몇 장일까요?

식① : **5×7=35**

식② : **9×4=36**

식③ : **35+36=71**   답 : **71장**

P 60

확인학습

✎ 알맞은 식을 쓰고 답을 구하세요.

⑧ 레미는 다트 놀이에서 다트를 7점짜리 과녁에 3개, 5점짜리 과녁에 5개, 2점짜리 과녁에 8개 맞혔습니다. 레미의 다트 점수는 몇 점일까요?

식① : **7×3=21**

식② : **5×5=25**

식③ : **2×8=16**

식④ : **21+25+16=62**   답 : **62점**

⑨ 연필은 한 묶음에 9자루, 볼펜은 한 묶음에 6자루, 색연필은 한 묶음에 8자루로 팔고 있습니다. 수혁이가 연필 3묶음, 볼펜 4묶음, 색연필 1묶음을 샀을 때, 수혁이가 산 필기 도구는 모두 몇 자루일까요?

식① : **9×3=27**

식② : **6×4=24**

식③ : **8×1=8**

식④ : **27+24+8=59**   답 : **59자루**

P62 ~ 63

제한 시간 10분
맞은 개수 /8개

✎ 묶어 세어 수를 구하세요.

① 국화가 2송이씩 4묶음 있습니다. 국화는 모두 몇 송이일까요?

| 2 | 4 | 6 | 8 | | |

_____8송이

② 지우개가 8개씩 6묶음 있습니다. 지우개는 모두 몇 개일까요?

| 8 | 16 | 24 | 32 | 40 | 48 |

_____48개

✎ 알맞은 식을 쓰고 답을 구하세요.

③ 한 접시에 과자를 7개씩 담았습니다. 8접시에 담긴 과자는 모두 몇 개일까요?

식 : __7×8=56__ 답 : __56개__

④ 팔각형의 꼭짓점은 8개입니다. 팔각형 2개의 꼭짓점은 모두 몇 개일까요?

식 : __8×2=16__ 답 : __16개__

✎ □가 있는 식을 쓰고 답을 구하세요.

⑤ 똑같은 길이의 테이프 9장을 겹치지 않게 이어 붙였더니 81 cm가 되었습니다. 테이프 한 장의 길이는 몇 cm일까요?

식 : __□×9=81__ 답 : __9 cm__

⑥ 쇼핑 카트 8대의 바퀴 수는 모두 32개입니다. 쇼핑 카트 한 대의 바퀴는 몇 개일까요?

식 : __□×8=32__ 답 : __4개__

✎ 알맞은 식을 쓰고 답을 구하세요.

⑦ 둘째 이모는 24살, 지아는 4살입니다. 셋째 이모의 나이가 지아 나이의 5배일 때, 둘째 이모는 셋째 이모보다 몇 살 더 많을까요?

식① : __4×5=20__

식② : __24-20=4__ 답 : __4살__

⑧ 스티커 45장을 학생 6명에게 6장씩 나누어 주었습니다. 남은 스티커는 몇 장일까요?

식① : __6×6=36__

식② : __45-36=9__ 답 : __9장__

P 64 ~ 65

제한 시간 10분
맞은 개수 /7개

✎ 여러 번 더하는 식으로 나타내어 수를 구하세요.

① 체리가 2개씩 6묶음 있습니다. 체리는 모두 몇 개일까요?

식 : __2+2+2+2+2+2=12__ 답 : __12개__

② 고등어가 5마리씩 5묶음 있습니다. 고등어는 모두 몇 마리일까요?

식 : __5+5+5+5+5=25__ 답 : __25마리__

✎ 알맞은 식을 완성하고 답을 구하세요.

③ 9와 3의 곱은 얼마일까요?

식 : | 9 | × | 3 | = | 27 | 답 : __27__

④ 7 곱하기 6은 얼마와 같을까요?

식 : | 7 | × | 6 | = | 42 | 답 : __42__

✎ 잘못된 계산을 보고 올바르게 계산한 값을 구하세요.

⑤ 어떤 수에 8을 곱해야 할 것을 잘못하여 더했더니 16이 되었습니다. 올바르게 계산한 값은 얼마일까요?

식① : __□+8=16__ 어떤 수 : __8__

식② : __8×8=64__ 답 : __64__

⑥ 어떤 수에 5를 곱해야 할 것을 잘못하여 7을 곱했더니 56이 되었습니다. 올바르게 계산한 값은 얼마일까요?

식① : __□×7=56__ 어떤 수 : __8__

식② : __8×5=40__ 답 : __40__

✎ 알맞은 식을 쓰고 답을 구하세요.

⑦ 남학생은 한 모둠에 3명, 여학생은 한 모둠에 4명입니다. 남학생 7모둠과 여학생 3모둠에 있는 학생은 모두 몇 명일까요?

식① : __3×7=21__

식② : __4×3=12__

식③ : __21+12=33__ 답 : __33명__

P 66 ~ 67

3회차 진단평가

제한 시간 10분 / 맞은 개수 / 7개

✎ 여러 번 더하는 식으로 나타내어 수를 구하세요.

① 제기가 6개 있고, 공기의 수는 제기의 수의 5배입니다. 공기는 몇 개일까요?

식 : 6+6+6+6+6=30   답 : 30개

② 뱀이 7마리 있고, 개구리의 수는 뱀의 수의 4배입니다. 개구리는 몇 마리일까요?

식 : 7+7+7+7=28   답 : 28마리

✎ 알맞은 식을 쓰고 답을 구하세요.

③ 현우는 우표를 매일 8장씩 모았습니다. 이틀 동안 모은 우표는 모두 몇 장일까요?

식 : 8×2=16   답 : 16장

④ 양말 한 켤레는 2짝입니다. 양말 9켤레는 몇 짝일까요?

식 : 2×9=18   답 : 18짝

✎ □가 있는 식을 쓰고 어떤 수를 구하세요.

⑤ 5에 어떤 수를 곱하였더니 20이 되었습니다. 어떤 수는 얼마일까요?

식 : 5×□=20   답 : 4

⑥ 3에 어떤 수를 곱하였더니 27이 되었습니다. 어떤 수는 얼마일까요?

식 : 3×□=27   답 : 9

✎ 알맞은 식을 쓰고 답을 구하세요.

⑦ 가위바위보에서 이기면 8점, 비기면 5점, 지면 3점을 얻습니다. 지원이는 가위바위보를 해서 5번 이기고, 6번 비기고, 6번졌습니다. 지원이의 가위바위보 점수는 몇 점일까요?

식① : 8×5=40
식② : 5×6=30
식③ : 3×6=18
식④ : 40+30+18=88   답 : 88점

P 68 ~ 69

4회차 진단평가

제한 시간 10분 / 맞은 개수 / 8개

✎ 곱셈식으로 나타내어 수를 구하세요.

① 색종이가 6장씩 2묶음 있습니다. 색종이는 모두 몇 장일까요?

식 : 6×2=12   답 : 12장

② 바나나가 3개 있고, 체리의 수는 바나나의 수의 3배입니다. 체리는 몇 개일까요?

식 : 3×3=9   답 : 9개

✎ 알맞은 식을 쓰고 답을 구하세요.

③ 쌓기나무가 한 층에 3개씩 2층으로 쌓여 있습니다. 쌓기나무는 모두 몇 개일까요?

식 : 3×2=6   답 : 6개

④ 한 권에 9장짜리 연습장이 9권 있습니다. 연습장에 있는 종이는 모두 몇 장일까요?

식 : 9×9=81   답 : 81장

✎ □가 있는 식을 쓰고 어떤 수를 구하세요.

⑤ 어떤 수에 8을 곱하였더니 24가 되었습니다. 어떤 수는 얼마일까요?

식 : □×8=24   답 : 3

⑥ 어떤 수에 4를 곱하였더니 16이 되었습니다. 어떤 수는 얼마일까요?

식 : □×4=16   답 : 4

✎ 알맞은 식을 쓰고 답을 구하세요.

⑦ 탁자 위에 칫솔을 3개씩 8줄로 늘어놓았더니 1개가 남았습니다. 칫솔은 모두 몇 개일까요?

식① : 3×8=24
식② : 24+1=25   답 : 25개

⑧ 색종이를 한 사람에게 7장씩 5명에게 나누어 주었더니 5장이 남았습니다. 원래 있던 색종이는 몇 장이었을까요?

식① : 7×5=35
식② : 35+5=40   답 : 40장

월 일
제한 시간 10분
맞은 개수 / 8개

✏️ □가 있는 곱셈식을 쓰고 답을 구하세요.

① 단추 56개는 8개씩 몇 묶음일까요?

식 : __8×□=56__   답 : __7묶음__

② 바지가 5벌, 셔츠는 15벌 있습니다. 셔츠의 수는 바지의 수의 몇 배일까요?

식 : __5×□=15__   답 : __3배__

✏️ 알맞은 식을 쓰고 답을 구하세요.

③ 별이 5개씩 그려진 스티커가 6장 있습니다. 스티커에 그려진 별은 모두 몇 개일까요?

식 : __5×6=30__   답 : __30개__

④ 기현이는 하루에 손을 7번 씻습니다. 3일 동안 기현이는 손을 몇 번 씻을까요?

식 : __7×3=21__   답 : __21번__

✏️ □가 있는 식을 쓰고 답을 구하세요.

⑤ 거미는 다리가 8개입니다. 거미의 다리가 모두 16개라면 거미는 몇 마리 있을까요?

식 : __8×□=16__   답 : __2마리__

⑥ 탁구공이 한 상자에 9개씩 있습니다. 탁구공 54개는 몇 상자일까요?

식 : __9×□=54__   답 : __6상자__

✏️ 알맞은 식을 쓰고 답을 구하세요.

⑦ 수박이 7통 있습니다. 수박을 한 가족에게 2통씩 5가족에게 나누어 주려면 수박 몇 통이 더 필요할까요?

식① : __2×5=10__

식② : __10−7=3__   답 : __3통__

⑧ 하진이의 나이는 5살입니다. 엄마는 하진이 나이의 8배보다 4살 더 어립니다. 엄마는 몇 살일까요?

식① : __5×8=40__

식② : __40−4=36__   답 : __36살__

"

The essence of mathematics
is its freedom.

"

"수학의 본질은 그 자유로움에 있다."

Georg Cantor, 게오르크 칸토어